JN041825

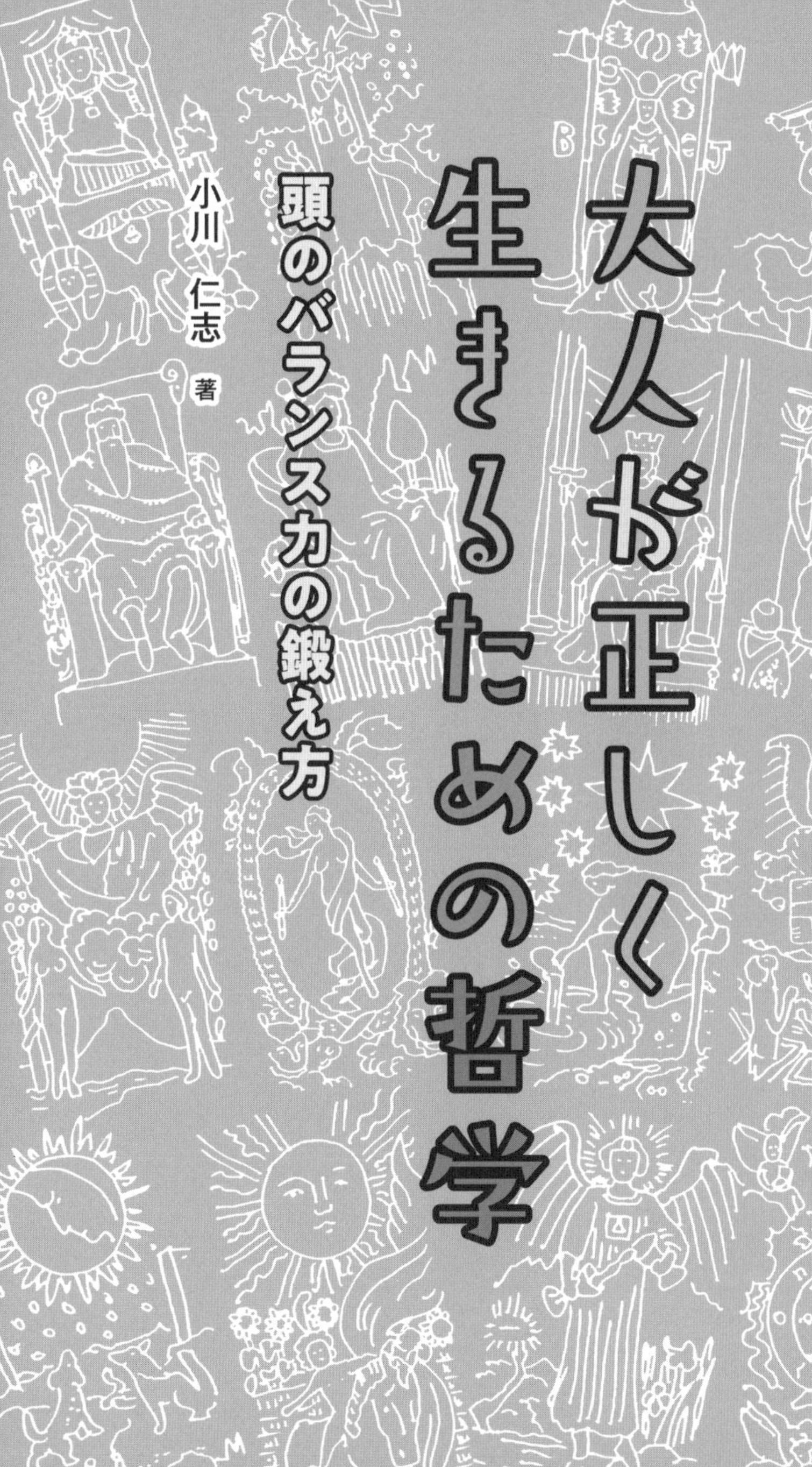

大人が正しく生きるための哲学

頭のバランス力の鍛え方

小川仁志 著

はじめに
大人の意味

道徳はいつ学ぶのでしょうか？　もちろん小学校や中学校のときです。皆さんも記憶があることと思います。ところが、そこで何を学んだか覚えている人はそう多くはないと思います。ましてや、それを実践している人がいるかどうかと尋ねると、おそらくほんのわずかになるのではないでしょうか。

これは講演などで大人に質問し、手を挙げてもらうと明らかです。いや、まるで他人事みたいにいっていますが、かくいう私自身もそうです。人間は忘れやすい動物ですから、それも致し方ない部分はあるのでしょう。「道徳」という教科の内容自体に問題があるのかもしれません。

いずれにしても、大人が道徳を忘れてしまっているのは事実です。そして、不道徳な振舞いをしているのも事実です。公共の場でのマナーの悪さ、わがままな態度、各種ハラスメント、大人間のいじめ、モンスターペアレント、虐待、あおり運転、不倫等々。

皆さんも大なり小なり耳が痛い内容があるのではないでしょうか。もちろん、人間は神ではありません。誰もが聖人君主のような生活ができるとは思えません。その反対で、とても弱い存在なのです。欲があり、意志が弱くて誘惑に負ける。そういう存在です。でも、だからといって開き直っているわけにはいきません。

すべての大人が子どもたちの手本になっている

なぜなら、子どもたちが見習っているからです。特に親は子の鑑です。子どもは親の言動を見て育ちます。あの親にしてこの子ありといった表現をよく耳にしますが、これは世界中にあるようです。つまり普遍的な真理なのです。

実際、自分の子どもが自分と同じようなことをいうのを聞いて、ハッとすることはありませんか？　特に悪いことについて。だから開き直るわけにはいかないのです。いや、親だけではないでしょう。すべての大人が子どもたちの手本になっていることを忘れてはいけません。

では、子どもたちの手本になるような行為をするにはどうしたらよいか？　そのためにはまず何が手本なのか、そしてそれに照らして自分の行為はどうなのかといったことを分析する必要があります。そうしてはじめて、そのお手本に近づけるような行動をとることができるのです。

問題は、何が手本となるのかは、そう簡単に見つからない点でしょう。どこかに正しい大人の振る舞い方みたいな本があればいいですが。いや、そういうタイトルの本もありますが、なぜかピンとこないのです。なぜなら、正しさとは絶対的なものではなく、状況によっても変わるし、また人によっても捉え方が異なるからです。そこがお手本を探すうえでの困難な点です。

でも、個々の行為について、これが正しいと思えることはあるでしょう。そうした事例を自分なりにリストアップしていけば、それが全体としてお手本になるのではないでしょうか。

あるいは、世の中には自分の理想とする生き方をしている人がいるものです。そうした人の行為全てがお手本になるかどうかはわかりませんが、少なくとも多くは見習うべきものであるはずです。だからこそ理想としているわけですから。その人をお手本にして、違うと思う点を修正していくというやり方でもいいでしょう。

お手本が決まったら、今度は自分の行動がそのお手本とどれだけ乖離があるのか、現実をよく認識することです。日ごろ私たちは忙しさにかまけて、自分の行動を顧みることなどありません。よほど大きな失敗をした時くらいでしょう。でも、それでは遅いのです。子どもたちにとって恥ずかしくない大人でいるためには、あえて時間をとって、自分を見つめ直す必要があると思います。

大人は自分で正しいことが判断できる

先ほどお手本は人によって変わるといいましたが、一般論としていくつか挙げることはできます。そうした要素を備えている人こそが、私の考える「子どもたちにとって恥ずかしくない大人」です。たとえば、嘘をつかない、他者の気持ちを理解できる、人を裏切らない、お金に目がくらまない、弱きを助ける、差別をしない、責任を取るなどといった諸要素です。

この中でも、特に私は責任を取れるという要素が重要だと思っています。それが成人の権利の裏返しでもあるからです。成人するというのは、大人になるということですが、はたしてその具体的意味は何なのでしょうか？　法律的には責任を問われる立場になるということです。では、なぜ責任を問われるのか？　それは大人になれば、自分で判断できるとみなされるからです。その証拠に、自分で判断できない人は、大人であっても成年後見人がついたりします。

そうでない限りは、自分で正しいことが判断できると思われているわけです。にもかかわらずそれができないとすれば、もはや大人とはいえません。先ほど不道徳な大人の話をしましたが、そういう人たちは皆自分で正しいことを判断できていない人です。中には判断してはいるものの、行動が伴っていないだけの人もいるかもしれません。しかしそれはきちんと判断できていないのと同じです。

判断とは、行動を含むものだからです。もし判断はしたが、別の行動をとったという人がいれば、それは最終的に正しい判断をしなかった言い訳にすぎません。その場合、大人であることを放棄するか、大人であるべく正しい判断ができるように訓練するか、いずれかを選ぶ必要があるでしょう。

ただ、前者を選ぶ人はいないと思います。とするならば、正しく判断できるように訓練しなければならないのです。もう一度道徳を学び直すなどして。本書は、そんな正しく生きたい大人のための教科書だと思ってもらえばいいでしょう。

頭のバランス力を鍛える

問題は何が正しいのか、そしてその正しさをどう判断するのかという点です。詳しくは本文の中でお話ししていきますが、予め私の結論を一言でいうなら、正しさとはバランスであり、正しく判断するためには頭のバランス力ともいうべきものを鍛える必要があると思っています。できるだけ具体的な場面を挙げながら、バランスの取り方について考えてみたいと思います。

なお、本書ではあえて「大人の道徳」という名称を使っていません。というのも、先ほど少し触れたように、小中学校で習う「道徳」という教科の内容は、必ずしも完璧なものではなかったように思うのです。

もし完璧なものだったら、もっとしっかり身についていたでしょう。多くの人たちは、あれを単なるお手本として聞き流して来ただけなのではないでしょうか。自分には無理そうとか、お説教みたいだと感じながら。

それもそのはずです。教科としての道徳は、人の道として予めモデルが定められ、それを基準にするよう説くものだからです。

そこで本書では、道徳の代わりに哲学という言葉を使い、自分自身で正しさを発見してもらうことを目指したいと思います。哲学とは、予め存在する答えを押し付ける営みではなく、むしろそれを疑って、自分なりの答えを探す点に特徴があります。したがって、自分で正しさを発見するにはぴったりなのです。ぜひご自身が正しく生きるとはどういうことなのか、自分自身で判断して見出していってください。そのためのお手伝いをするのが、本書の役目です。

私自身がそうなのですが、人からお説教なんてされるのは大嫌いです。だから本書でもそんなことをするつもりは毛頭ありません。むしろお説教なんてされないように、予防策として活用していただきたいと思っています。誰から何をいわれようと、自信をもって正しい判断ができていれば、そんな心配をする必要はないはずです。皆さんに伝えたいのは教訓でも人生訓でもありません。そうではなくて自信の持ち方です。

さあ、胸を張って生きていける大人になりましょう！

【目　次】

第4章 子どもと共に学ぶ

第5章 正しい大人の振る舞い方

第6章

おわりに

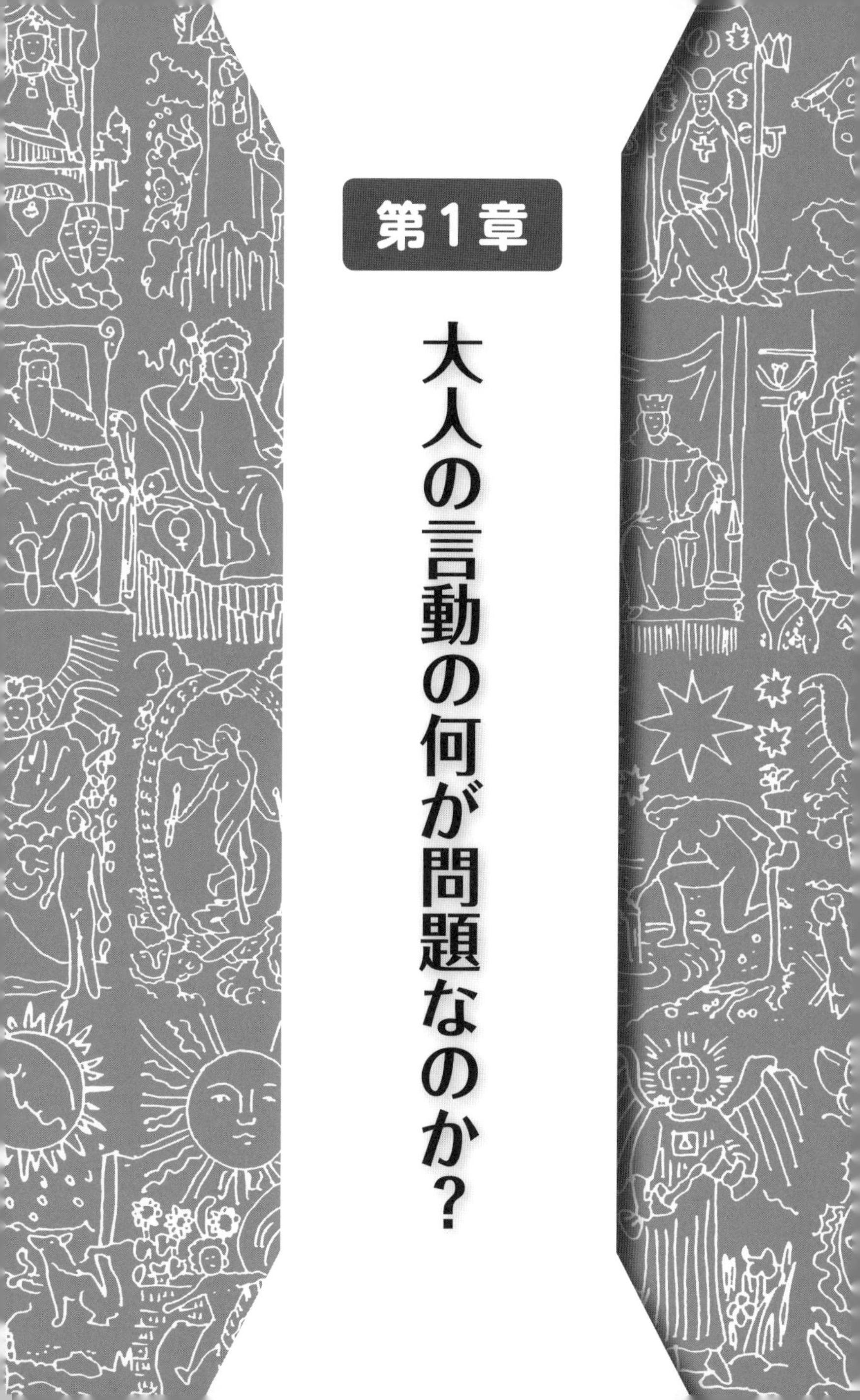

第1章

大人の言動の何が問題なのか？

ここではマナーの悪さ、道徳心のなさ、わがまま、ハラスメント、大人間のいじめ、モンスターペアレント、虐待といった悪い例を挙げて、大人の言動の何が問題なのか分析していきます。同時に、自分の問題に気づいてもらいます。多くの大人は自分は問題ないと思い込んでいますが、そこがまさに問題なのです。

大人の本音？

大人の言動がどう問題なのかお話しする前に、少し大人の本音について論じておきたいと思います。私も大人ですから私のいうことはそのまま大人の本音になるのですが、それだけだと客観性を欠くので、私がよく耳にする大人たちの本音も交えて書いていきたいと思います。

そうすることで、大人が日ごろどう思っているのか、そしてなぜあんなふうに振る舞うのかがわかってもらえると思うのです。いいことも悪いことも含めて、まずは実態とその気持ちを確認しておかないと、一方的に大人が問題だと非難するのはフェアではないと思うのです。

大人は悪者ではない

まず、大人は決して悪者ではありません。これは大人を代表して声を大にしていわせていただきたいと思います。よく子どもよりも大人が問題だとか、大人に道徳がないから子どもがダメだなどといわれますが、それはイコール大人が悪いという意味ではないのです。

大人は基本的にいい人たちだと思います。でも、努力が足りないのは事実です。だから結果的に悪い言動、振る舞いが目立ってしまうのです。「おいおい、何をやってるんだ」と。これは本人のせいでもあるわけですが、そもそもこの国には大人のよさを発揮するための仕組みが整っていないというのも事実だと思います。

大人のあり方は誰も教えてくれない

いや、正確にいうと昔はそうではなかったのでしょう。たとえば儒教の道徳が徹底されていたような時代は話が別です。大人の役割は明確化されていて、どうあるべきか迷う必要もなかったのです。

ところが、現代社会においては、そういう古めかしいものはすっかりなくなり、「道徳」というモヤっとした授業はあっても、それ以外に大人はこうあるべき、こう考えるべきなどということは、誰も教えてくれなくなったのです。

ですから、子どものまま大人になったような人がたくさんいるのも致し方ないわけです。それを個々の大人のせいにされたのでは、少しかわいそうといえばかわいそうです。本書ではそこのところを汲んで議論をしたいと思っています。これは昨今責められている大人の多くが共感してくれるところだと思います。

大人は子どものことをよく知らない

また、大人は子どものことをよく知らないということも告白しておきたいと思います。大人だから当然子どものことを熟知しているはずだと思われています。しかし、そこが問題の始まりでもあるのです。

大人だから子どものことをわかっているという前提で、勝手に子どもたちのルールを決めたり、勝手に彼らの人生を導いたりしてしまうのです。しかし、本当はわかっていないのです。だから失敗しますし、子どもたちからの反発も招きます。

つまり、こと子どものことに関しては、大人の判断が間違っていると思われるのは、必ずしも大人が個々の問題について判断ができていないわけではないのです。大人もそこまで愚かではありません。論理的に考えると正しい判断をしていることのほうが多いのでしょう。しかし、前提の部分で間違っているのです。大人は子どものことをよくわかっているという前提です。

そういう前提があると、どうしても自分の論理で子どものことを考えがちです。でも、その前提が間違っているのなら、何をやってもだめなのです。大人はまずそのことに気づかなければなりません。ただ、これはやむを得ない部分もあるのです。人間は忘れる動物だからです。

子どもだってそうでしょう。昔のことを全部覚えているなんてことはあり得ません。よくお兄ちゃんが小さな弟に対して「こんなこともできないの?」という態度を取ることがあります。自分だってできなかったくせに。

そう、大人もそうなのです。子どものころ自分がどう考えていたか、何をしたかったかなんてちゃんと覚えていません。だから子どもの気持ちがわからないのです。たとえ自分もかつては子どもだったとしても。たとえば、子どもが恋愛のために門限を破りたいと思ったとしましょう。そんなこと許す親はいませんよね。ところが、自分が子どもだったころは同じ気持ちだったはずです。胸に手を当ててよく思い出してみてください。私にも記憶があります。

本当は変わりたい

最後に、大人は本当は変わりたいと思っているということも少しだけ声のトーンを押さえてお話ししておきます。当たり前のことですが、大人も反省する能力は持っています。子どものようにあまり頻繁に「ごめんなさい」という機会がないだけです。あるいはもう素直に謝れなくなってしまっているだけです。

ですから、心の中では本当は自分が間違った判断をするたび、そしてそれによって誰かを傷つけるたび、心の中では「ごめんなさい」と謝っているのです。素直に謝ればいいのにと思うかもしれませんが、そこは社会的な立場とか体裁という大人の事情があります。あんまり簡単に謝ると謝罪の意味が薄れますし、言質を取られて裁判になった時に不利になったりもしますから、そう簡単には謝れないのです。

ただ、それと心の中は別であることを理解しておく必要があります。素直に過ちを認めて、変わりたいと思っている大人だってたくさんいるのは事実なのです。みなさんだってそうじゃないですか？　変わりたいと思う人しか変われません。もっと正しく物事を判断できる素敵な大人でありたいと思う方に向けて本書はエールを送ろうとしています。変わりたくない大人を非難する本ではないのです。

以上のような大人の本音を前提に、それでも大人が問題だと思われる点、そして大人が改めなければならないと思うことをお話ししていきたいと思います。ぜひ自分を責めすぎることのないように、それでいて甘くなりすぎることもないように、公平な目で自分自身を見つめ直してみてください。

大人の問題

毎日のようにあおり運転や虐待、あるいは不倫のニュースが流れてきます。車に抜かされた程度で、いい大人がカッとなって追いかけるなんて、なんともこっけいに思えます。しかし、誰しもイラっとした経験くらいはあるのではないでしょうか。たまたまそのときほかのことでストレスを抱えていたとしましょう。

場合によっては、ちょっと車間距離を詰めて怒りを表現してやろうと思うこともあるのではないでしょうか。虐待もそうしたストレスが影響していることもあるでしょう。不倫も何かの不満の表れかもしれません。

ただ、こうした事例はさすがにニュースになるだけあって、そう誰もがやっていることはいえません。でも、公共のマナー違反はどうでしょうか？　たとえば、ゴミをきちんと分別しないとか、たばこのポイ捨てをするとか、座席に荷物を置いて独占するだとか。それくらいは誰しも少しは経験があるのではないでしょうか。

不道徳な行為とは、こういったことも含むのです。ゴミの分別は面倒だから、多少仕方ないなどと思っていませんか？　もしそうだとしたら、1億人が同じ考えをした場合どうなるでしょうか。結局、資源は再利用されず、ごみの量も増えるばかりです。

2019年の国連総会でも、地球環境がなかなかよくならないという話題が首脳級会議で話題にのぼったそうです。きっとそれはそんな不道徳な大人が多いからでしょう。多少ならわからないとか、自分だけなら問題ないと、みんなこっそり生ごみにプラスチックごみを混ぜているのです。だから空気も海もどんどん汚染されていくのです。

どのように正しさを判断しているか

さて、ここで考えていただきたいのは、私たちの発想のメカニズムです。私たちが正しさを判断する際、いったい何を基準にして、どう考えているのか。まずわかりやすいように、子どもの場合を考えてみましょう。自分のことはよくわからなくても、人のことはよくわかるものですから。

子どもはまず、大人を見本にします。教科書に書いてあることも見本ですが、彼らには残念ながら学校で習ったことを実社会で使うという発想がないので、教科書はあくまで試験のための情報を集めたものにすぎないのです。

幼ければ幼いほど、子どもたちは大人を見本にして、それが正しいかどうかにかかわらず、とにかく同じことをするのです。赤ちゃんを見ればわかるでしょう。彼らは親の話す真似をして言葉を覚えるのです。それは大人になるまで続くと思ってください。

言葉だけではありません。行動も考え方もです。そもそも考えというのは、言葉で形成されています。人間は言葉なしで思考することはできませんから。したがって、言葉を甘く見てはいけません。大人の一言が、子どもの考え方まで変えてしまうのです。ましてや一番信頼する親のいう言葉ですから、それはそのまま子どもたちにとっての法律になるのです。

　さて、これが子どもが正しさを判断する場合のやり方です。つまり、子どもは基本的には大人の真似をしているだけです。時に意識的に、時に無意識のうちに。

　では、大人はどうか？　皆さんどうですか？　おそらく大人になるまでに培われた正しさの基準をそのまま適用して、漫然と判断しているだけではないでしょうか。ということは、大人から学んだ正しさを、今度は自分が大人になっても実践しているだけなのです。そしてそれがまた子どもに影響を与えているわけです。

大人にこそ正しい判断力が必要

　ここで気づくのは、大人にこそ正しい判断力が必要ということです。あるいは道徳が必要ということです。よく子どもの道徳を問題にしますが、それは大人から学んでいるのですから、大人が先にちゃんと判断しないといけないということです。この問題だけは卵が先か鶏が先かではなく、明らかに鶏が先なのです。

　決して卵が先だといって逃げてはいけませんし、ごまかしてもいけません。今自分が変わらないと、子どもも社会も変わらないのです。そこでもし、これまでの正しさが間違っているとしたら、皆さんはどうやってゼロから正しさを判断していくか考えてみてください。

物事の本質を考える

抽象的にこんなことを考えるのは難しいので、具体例で考えていきましょう。たとえば、モンスターペアレントは正しいのかどうか。モンスターペアレントとは、過剰に学校にクレームをつけてくる親のことです。

それを聞いただけで、正しくないに決まっているじゃないかと思った人が多いことでしょう。でも、どうしてそう思うのか？　そんなふうに改めて問われると困るはずです。法律にも書いてませんし、学校でそれはいけないと習ったわけでもありませんから。

こういうときは、モンスターペアレントとはいったい何なのか、根本から考え直してみるのです。実はこれが哲学をするということにほかなりません。哲学とは物事の本質を探求する営みですから。

モンスターペアレントとは、先ほども書いたように、過剰に学校にクレームをつけてくる親のことです。ここには、本来親は学校にクレームをつける存在ではないという前提があります。つけたとしても、それはよっぽどのことがあったときや、やるにしてもそんなに激しいやり方はしないという前提があるのです。

学校のせいで子どもが軽いけがをしたら、どんな親でも多少文句をいうでしょう。学校に対して、気を付けてくださいと。その程度であれば、モンスターペアレントといわれることはないはずです。これに対して、子どもが自分の不注意で軽いけがをしたのに、苦情をいってくる親はモンスターの傾向があります。さらに、その苦情も校長室にいきなり怒鳴り込んでくるというのだと、もうモンスターペアレントです。なぜなら、その苦情は不合理であり、また必要以上の要求をしているからです。

つまり、モンスターペアレントとは、不合理な主張をする人であり、その方法も必要な限度を超えているのです。したがって、それが正しいかどうかといわれれば、不合理である以上正しいとはいえないでしょう。また、必要な限度を超えているなら、いくら合理的な内容であっても正しいとはいえないでしょう。

このようにして、その物事の本質を考えれば、正しさはおのずと判断可能なのです。もちろん、何が合理的で、何が必要な限度を超えているのかという点については、なんらかの客観的な基準が必要でしょう。

常識に照らす

でも、それは私たちが属している世界の中で、誰もが共有している基準があるはずです。いわゆる常識です。つまり、常識に照らして不合理かどうか、度を越しているかどうかが問題なのです。

それでもまだ、常識が常に正しいとは限らないという反論は成り立ちます。それはその通りです。常識とは英語でいうならコモンセンスです。いわば共通の感覚ですから、人々の感覚の最大公約数をそう呼んでいるだけのことです。

ということは、人々の感覚は不変ではなく、その都度変わるものですから、常識というのはかなりあいまいな概念であることは間違いありません。だとしても、その最大公約数が何なのかは、その時々で一応定まっているはずです。自分が物事を判断する際の常識が何なのかを確認する必要があるのです。

そしてもしその内容がどうしてもおかしい、つまりみんなが間違っている可能性があるのなら、勇気を出して自分が正しいと思う基準に基づいて判断することがあってもいいでしょう。ただしその場合は、単なる直観ではいけません。直観がきっかけになったとしても、その背後にある客観的な証拠を並べ立てることができるかどうか、慎重に吟味する必要があります。

そんな余裕がないときには、後で客観的な証拠が準備できるかどうか、頭の中でよくシミュレーションした後にはじめて、常識とは異なる英断をすべきなのです。そのとき判断の基準になるモノサシついては、第3章で詳しくお話ししたいと思います。

常識のおかしさ

ただ、多くの人は常識がおかしいということになかなか気づかないものです。しかもやっかいなことに、空気を読むこの国の常識は、往々にして事なかれ主義による産物で、かなりおかしいものがあります。

冒頭にマナーの悪さ、道徳心のなさ、わがまま、ハラスメント、大人間のいじめ、モンスターペアレント、虐待といった例を挙げましたが、いずれも日本の常識は少しずれているような気がします。

マナーは比較的いいはずですが、外国人を輪に入れない傾向があるという指摘を留学生からよく受けたりします。仲間と群れるのは日本人の常識なのでしょう。あるいは多様性に馴れていないからかもしれませんが、それは他の国の人からすれば、わざとよそよそしくしているようにしか思えないのです。こうしたことは、自分たちではなかなか気づかないものです。

道徳心のなさやわがままであるという点については、電車のマナーを見ていればすぐわかります。平気で優先座席に座るとか、飲食するとか。これもそんなに罪の意識を感じる人はいないでしょう。つまり私たちの常識では許される範囲なのです。ハラスメントが横行しているのも常識が緩いからでしょう。飲み会に誘う程度ならパワハラに当たらないとか、服装を褒めるくらいならセクハラにはならないという感覚を持っている人が多いのではないでしょうか。

大人間のいじめ。これもニュースになったような教員同士のいじめは言語道断ですが、職場で特定の人だけ飲み会に誘わないとか、ＰＴＡでランチ会に誘わないというのはいじめではないのでしょうか？　モンスターペアレントの話は先ほどした通りですが、やはり親の権利だと思っている人が多いように思います。虐待については、しつけとのラインがあまりにもあいまいです。そもそも子どもの権利については意識さえしていないのではないでしょうか。

本当にそれは正しいのか

したがって、大人の道徳を変えていくためには、まずは常識を疑うところから始める必要があるのかもしれません。その点で哲学は大きな役割を果たすことができます。なにしろ疑うことから始まった学問ですから。

たまたま古代ギリシアの哲学者ソクラテスには、常識を疑う能力が備わっていました。そのおかげで哲学が誕生したのです。彼にはダイモンの声を聴く能力があったといいます。みんながやっている行為でも、それはやるべきではないと感じることがあったそうです。

そこで、人々に疑問を投げかけたのです。本当にそれは正しい行為なのかと。それが哲学の始まりでした。現代の私たちにはダイモンの声は聴こえないかもしれませんが、その代わりソクラテスが残してくれた遺産があります。

つまり、常識を疑う哲学という営みを共有しているのです。あとはそれを使うかどうかです。そんなに難しいことではありません。日ごろから哲学しようという態度でいれば、常識を疑うきっかけを持つことができるはずです。

哲学の仕方

本章の最後に、私の専門である哲学の仕方について少しお話ししておきたいと思います。常識を疑い、正しさを考えるためのヒントになると思います。

哲学というと、難しいとか、役に立たないと思われているかもしれませんが、それは哲学ではなく、哲学「学」のことだと思います。つまり哲学を学問の対象として扱う場合は、たしかに難解ですし、すぐに役立つ道具にはならないでしょう。でも、本来の哲学は、思考の方法なのです。したがって、どんなことにも応用できるツールだと思ってもらったほうがいいでしょう。それは普通に思考するということと比べてみるとよくわかります。

普通に思考するというのは、常識の枠組みの中で情報処理をしているにすぎません。たとえば、いじめをなんとかしなければいけないというとき、普通に思考するなら、いじめの実態があったかどうか調べて、それを止めるということになると思います。もちろんそのプロセスで頭は使っているわけですが、ある意味でこれはマニュアルに従って情報を処理しているにすぎないのです。

それに対して、「いじめとは何か？」とか「なぜいじめはいけないのか？」と問われると、答えを突き詰めていくに従って、これまで考えたこともないような事柄を考慮しなければならなくなってきます。排除とは何かとか、人はなぜ異質なものをしりぞけようとするのかとかいうふうに。

そうした思考は、いわばそれまで自分が持っていた常識を超えなければできません。それが哲学なのです。したがって私は、哲学とは既存のフレームを超えて思考すること定義しています。だから簡単には答えは出ないのです。

疑うことから始める

では、どうすれば既存のフレームを超えて思考することができるのか？　それはまず常識とされていることを疑うことから始まります。どんな物事も疑うことが可能です。なぜなら、どんな物事にももう一つの側面があるからです。地球は丸いけれども、でこぼこだともいえる。夏は暑いけれども、場所による。殺人はいけないけれども、死刑であれば合法化されうる……といったように。

したがって、そういう自明の他の事実に目を向ければいいのです。実はこれこそソクラテスが用いた問答法の本質です。彼は人々に質問を投げかけていったのですが、それは相手が自ら思い込みに疑いをさしはさむための手助けをしていたのです。本当にそれは正しいのだろうかというふうに。いじめとは何かを考える際も、一般には相手に苦痛を与える行為だとされていますが、苦痛を与えなくても、からかわれたようなときに「それいじめだよ」ということがあります。ということは、必ずしも苦痛を与えることではないのかもしれません。

視点を広げる

では、いったい何なのか？　そこで次に視点を広げる必要があります。物事は色んな見方ができるので、とりあえずできるだけ様々な見方をしてみるのです。俯瞰して見たり、立場を変えて見てみたり、逆に考えてみたりと。

たとえば俯瞰して見ると、苦痛を与えているというよりは、日常的ではない行為を一方が他方にしているように感じるのではないでしょうか。あるいは立場を変えてやっている方の側から見ると、憂さ晴らしだったり、八つ当たりだったりすることもあるかもしれません。逆に見るなら、いじめられている方は不合理な行為を強いられているということになるでしょう。

情報を再構成する

こうして色んな見方ができることを確認した後は、情報を再構成していく必要があります。結局何が本質なのか、見極めていくのです。このプロセスでは、同じような情報は一つにまとめ、できるだけ一つに絞っていきます。そうすると、いじめの場合だと、どうも片方が、もう一方に不合理な行為をしているというふうにまとめることができるでしょう。

ここからが大事なのですが、哲学の場合、最後は抽象的な言葉によって表現しなければならないのです。なぜなら、物事の本質を突いているわけですから、いつでもどこでも当てはまる普遍性が求められるのです。必然的にそれは個別のケースにしか当てはまらない具体的な言葉ではなく、抽象的な言葉になるのです。この場合だと、「いじめとは不合理性の強要である」といった感じでしょうか。

ちなみに、今紹介したいずれの段階においても、常に私たちの意志や意欲、欲望、あるいは直観や経験、さらには身体が影響しています。一言でいうと、純粋な論理的思考力とは異なる感覚的なもの、感性のようなものが不可避的に影響しているのです。これは人間の営みである以上仕方ないものなのですが、逆にいうとそのおかげで哲学は人間固有のもの、そして一人ひとり異なるユニークなものになっているわけです。

物事の本質までさかのぼって判断する

さて、本当はもっとじっくり時間をかけて、それぞれのプロセスにおいてもっと多様な視点から考察する必要がありますが、簡単に流れを紹介すると、こんなふうになります。これが哲学なのです。いじめを例にとりましたが、最初は相手に苦痛を与える行為だと思っていたのが、別に苦痛があるかどうかが問題なのではなく、本人が不合理だと思えば、そしてそれを拒むことができなければ、それでいじめといっていいのではないかという結論に至ったわけです。そのほうが、いじめの本質を突いているはずです。こういう結論に至ったのは、やはり哲学をしたからです。

正しさを判断するときは、基本的にはこうして哲学をする必要があると思います。言い換えるとそれは、個々の物事の本質にまでさかのぼって正しさを判断することができるからです。かつて大人は意識して哲学しないまでも、もう少しまともな判断をしていたように思うのですが、いったいどうしてこんなにダメな人間になってしまったのでしょうか。次章では少しその原因を探ってみたいと思います。

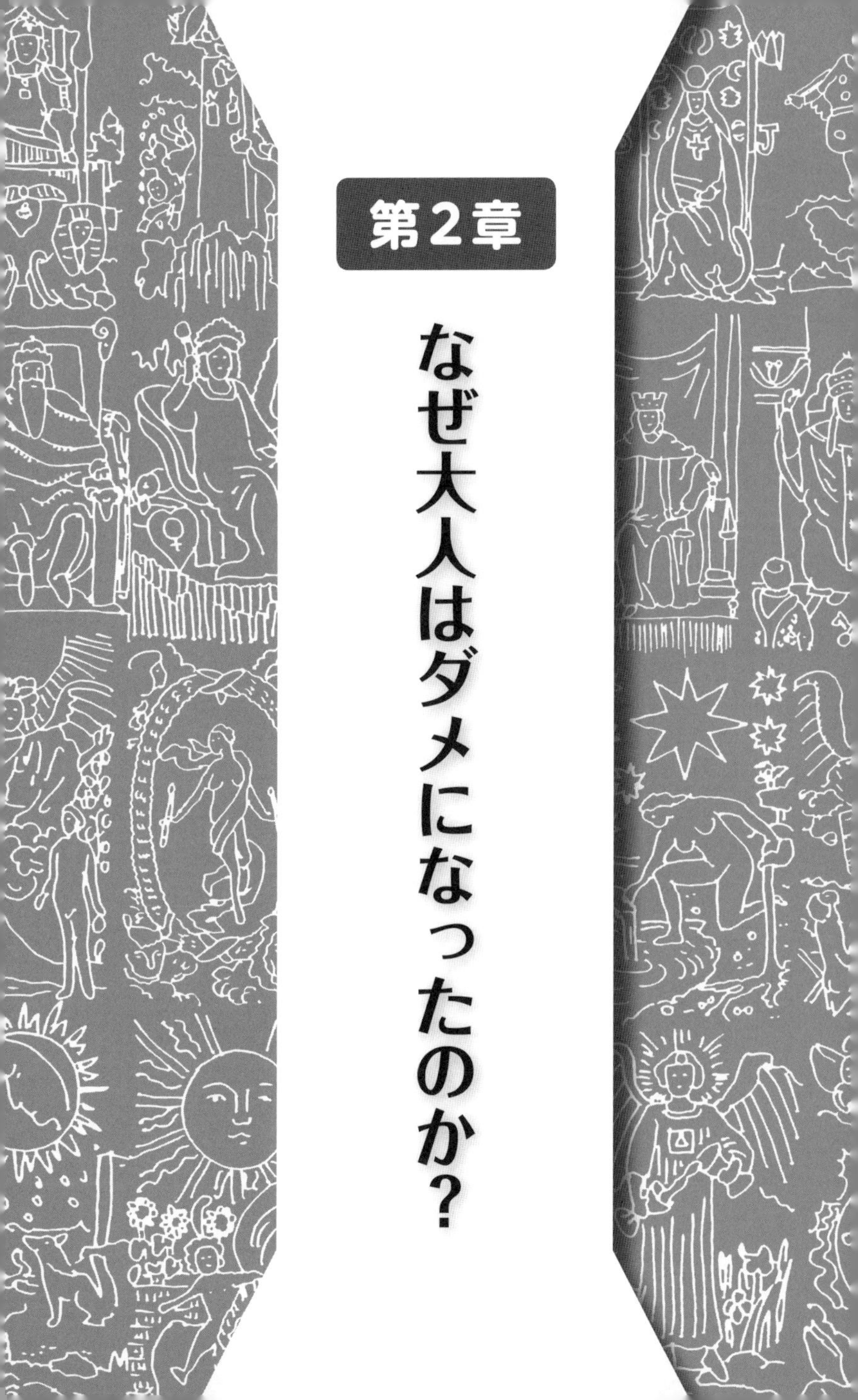

第2章

なぜ大人はダメになったのか？

ここでは大人がダメな理由を、歴史にさかのぼり、また現代の教育、社会環境といった要因に言及しつつ分析していきます。そのうえで、大人が失ってしまった思考力、感性、夢の三つについて、それがいったい今の大人にどんな悪影響を及ぼしているのか考えていきます。

思考力を失った大人

「大人のくせに」「もういい大人なんだから」「大人になれよ」というふうに、私たちは大人を特別扱いします。しかもこれらの言葉に共通しているのは、大人が子どもと違って、特別な責任を負っている、またそれを負うことができることを含意している点です。

　大人には責任が問われる。それが子どもとの違いです。では、どうして大人は責任を問われるのか？　責任という言葉は、それに見合う能力があるとみなされているから問われてくるものです。つまり、大人は他の存在と異なり、もっとも能力が高いとみなされているのです。

大人は地球上で最も能力が高い

　今あえて他の存在といいましたが、それは大人の持つ能力をより明確にするためです。子どもよりも能力が高いとみなされているのは誰でもわかると思います。もちろん子どもの方が優れていることもあるので、すべてにおいて大人の能力が高いというわけではありませんが。

　では、子どものほかにどんな存在が大人のライバルとして挙げられるでしょうか？　動物？　それもあるかもしれません。どの動物にも特別すぐれた能力があるものです。犬は人間の10倍の嗅覚を持っていますし、コウモリの方が暗闇で物の把握をするのは特意でしょう。しかし、複雑なことを理解したり、総合的に物事を理解するうえでは人間にはかないません。だから大人のほうが能力が高いといっていいでしょう。

あるいは、宇宙人はどうか？　私は韓国ドラマが好きなのですが、「星から来たあなた」というドラマには、人間と同じ姿格好をしたイケメンの宇宙人が登場します。彼は聴覚も人間の何倍もあり、瞬間移動もできれば、物を念力で動かすこともできます。では、その宇宙人の方が人間の大人より能力が高いかというと、そうでもないのです。少なくともこの地球、人間社会においては。なぜなら、彼には人間としての常識がないからです。たとえば彼は、数十年で死んでしまう人間という存在が、なぜ一生懸命に生き、人を愛するのかさえわかりません。つまり、人間の気持ちがわからないのです。

もう少し現実的なことでいうと、今ＡＩがどんどん進化していますから、大人よりもＡＩの方が能力が高いともいえそうです。でも、ＡＩは今のところ東大の試験にも合格できていません。なぜか？　それは常識がないからです。その点では宇宙人と同じです。人間にとっては当たり前の前提が、ＡＩにとってはものすごく複雑な計算の結果としてとらえられてしまうのです。

やや思考実験のような話になってしまいましたが、これだけいえば大人の能力の高さがわかっていただけるのではないでしょうか。大人は、この地球上においては、最も高い能力を有しているのです。それゆえに大きな責任を負っているといえるわけです。意味もわからず悪いことをした人を罰するのは酷でしょう。しかし、意味がわかっているのにやってしまったら、当然罰するべきです。意味がわかっていなかったとしても、不注意でわからなかったのなら同じです。

考えることを忘れてしまった

こんなふうに高い能力を有する大人ですから、本来はなんでも理解し、間違いをおかさないように生きることができるはずです。ところが、その大人が今ダメになっているとしたら、何か理由があるはずです。

とりわけ指摘しておきたいのは、物事を理解する能力が劣化している点、そして理解はしていても、正しい判断をする能力が劣化している点です。しかも、どっちも同じ原因で生じている現象だと思うのです。それは思考をしなくなっているということです。

きちんと思考をする訓練をしていれば、大人は経験を経るごとに能力を高めていくことができます。理解する能力も、判断する能力も。これは大昔からいわれていることで、誰もがわかっているはずのことです。したがって、大昔から教育の基本はこの点に置かれてきました。知識を学び、それについてしっかりと考えるということです。たとえば孔子は2千数百年前に『論語』の中でこういっています。「子曰く、学びて思わざれば則ち罔し、思いて学ばざれば則ち殆し」と。つまり、学んで、その学びを自分の考えに落とさなければ、身につくことはなく、また、自分で考えるだけで人から学ぼうとしなければ、考えが凝り固まってしまい危険だということです。

『論語』は日本でも江戸時代から学びのお手本になっているわけですから、誰もがこれにならってきたはずなのです。しかし戦後、経済成長することが至上目的になり、そのための知識を詰め込むことだけが優先されてきた結果、日本人は考えることを忘れてしまったように思えてなりません。

とりわけインターネットが発達し、思考するよりも検索した方が早いとなると、もう誰も考えようとはしなくなるのです。その結果スマート、つまり賢くなったのは文字通りスマートフォンだけ、人間の頭はそれに反比例して退化していったわけです。

だから最近の大人は正しい判断ができないという言説は、まさに正鵠を射ているのかもしれません。最近の大人は皆、考えなくなった時代の産物なのですから。その度合いは年々加速しているといっても過言ではないでしょう。テクノロジーが益々発達し、自分の代わりに思考してくれるＡＩまで登場しようとしているのですから。

思考はＡＩに任せればいい？

この点をとらえて、逆にもう思考しなくてもいいんじゃないかという人もいます。ＡＩが思考してくれるなら、それでいいではないかと。たしかに、ＡＩが正しい判断をしてくれるなら、大人はそれに従っていればいいわけです。でも、先ほども述べたように、ＡＩがすべての点において人間の思考にとって代わることができるかどうかは疑問です。

仮にそういう時代が来るにしても、はたして本当にそれでいいのかどうかは別問題でしょう。思考するというのは人間の特徴、しかも唯一の特徴であり、私たちがこの地球上の支配者であるゆえんです。その特徴をみすみすＡＩに譲ってしまっていいのでしょうか。少なくとも私は嫌です。なぜなら、思考することは楽しみでもあるからです。楽しみを奪われて嬉しい人はいないでしょう。

だからダメな大人から立ち直るには、まず思考力を高めればいいのです。本来持っているはずの思考力を活性化し、磨いていく。そうすれば正しい判断ができるようになるに違いありません。

感性を失った大人

思考力の劣化こそが大人がダメになっている最大の原因だと思いますが、決してそれだけではありません。そこでもう一つだけ、別の視点から大人がダメになった理由を挙げておきたいと思います。それは大人が思考力だけでなく、感性も失っているという点です。

かつてパスカルは、『パンセ』の中で人間は「考える葦」だと指摘しました。つまり、人間は植物の葦のように弱い存在だけれども、考えるという点において強いということをいいたかったのです。それこそが人間の特徴であると。ただ、パスカルはその前に、考えるということの意味には感性が含まれる点を指摘しています。

「幾何学的精神」だけではだめで、「繊細の精神」が必要だと説いているのです。この幾何学的精神は理性のことであり、繊細の精神が感性を意味しています。たしかに頭でっかちなだけでは正しい判断はできないでしょう。日本には大岡裁きという表現がありますが、杓子定規な判断をせず、人情によって誰もが納得のいく裁きを行った名奉行大岡越前の守のいつわに由来する言葉です。

いや、欧米でも同じです。裁判ものの映画を観ていると、必ず最後に弁護士が最終弁論で情に訴えます。そして裁判官もそれに影響されて判断を下すのです。つまり、正しさの判断には感性が不可欠だということです。

現代社会の病理

にもかかわらず、最近の大人たちは理性ばかりで物事を判断しようとしているように思えます。おそらくその原因もまた経済一辺倒のこの社会の病理が影響しているのではないでしょうか。競争社会では外見の良さが重視されます。競争の厳しい韓国社会には、スペックという言葉があります。

学歴だけでなく、顔もスペックの重要な要素になるのです。だから整形までする人もいるといいます。たしかに顔は生まれ持ったものなのに、そこで差がつくのは不公平です。しかし、そうして外見を重視する傾向に拍車がかかると、それに反比例して心に気を配る余裕がなくなるのではないでしょうか。

そういえば韓国に「ビューティ・インサイド」という映画があります。毎日起きるたびに年齢も性別も国籍さえも別の人物になっているという男の恋愛を描いた作品です。外見がそんなに変わってしまっても、はたして恋愛は可能なのかどうか。

相手にしてみれば、まるでまったく違う人物と毎日過ごさなければならないのです。最初に愛したはいいが、その後は二度と同じ人には会えないのです。少なくとも外見は。

ただ、相手は彼の中身に惹かれます。

この作品を観て、私はハッとしました。これはいわば思考実験です。もし外見が別人になったとしたら、はたして同じ人といえるのかどうか。冷静にじっくり考えれば、人は身体ではなく、心であることがわかるはずです。なぜなら、私たちの細胞は日々入れ替わっていますし、年をとれば外見も変わっていきます。

でも、そういう見方をしないのです。これは何も韓国だけの話ではありません。日本社会も外見を重視する社会です。イケメンとか美人とか。人は見た目が9割だとか。だから感性が劣化するのです。

考えるのではなく感じる

これを防ぐには、一度目を閉じて、心の目で物を見るようにすればいいのです。物を見てすぐ判断するのは、感性を働かせていない証拠です。いわゆる分別を働かせているだけです。むしろ無分別を働かせるべきなのです。

禅の思想家鈴木大拙は、まさにそんな無分別の分別について論じています。物事を理解するためには、分別だけでは足りず、無分別が必要だというのです。その無分別を働かせることではじめて、不可解な部分が見えてくるといいます。おそらくそれは、座禅による瞑想がもたらす境地なのでしょう。つまり、考えるのではなく感じるということです。

あるいは、瞑想のほかにも、感性を鍛える方法はたくさんあります。自然を楽しんだり、アートを鑑賞するというのもそうでしょう。私たちは忙しい日常の中で、自然の中を散策したり、美術館に足を運んだりということを軽視しがちです。そんな暇があったら自己啓発しようとか、逆に寝ようという感じになっているのではないでしょうか。

それでは感性は衰える一方です。奇しくも今、ビジネスにアートが求められたり、大人の教養としてアートが重視されたりしていますが、きっとこれは劣化する感性に対する現代人の危機感の表れなのではないでしょうか。

夢を失った大人

思考力を失い、感性を失った大人。これはたしかにダメになりそうです。その結果、正しく判断するということができなくなってしまっているのです。これでは子どものお手本にはなりえません。子どもたちがそうした大人を見習うのは問題ですが、中には大人のダメさに気づいて、大人になるのを嫌がる子どもたちも出てくることでしょう。

そう、大人は今あまりにも魅力のない存在に成り下がっているのです。というのも、思考力を失い感性を失えば、現実を把握することが難しくなります。そして現実が見えなければ、夢や志を抱くこともできなくなるのです。その結果、夢を失ったつまらない人間になってしまうわけです。

子どもたちには夢を持つよういいながら、自分自身は夢を持っていない。正確にいうと夢を持てない。そんな大人の言葉を、いったい誰が信用するでしょうか。「自分だって夢なんてないくせに」といわれるのがおちです。

夢を取り戻す

だから大人が夢を持つのはとても大切なことなのです。どうしたら夢を取り戻せるのか。再度大人が夢を失ってしまった過程を振り返りながら、その対応策を考えてみたいと思います。思考力と感性が失われると、自分の置かれている状況や、自分自身がきちんと把握できなくなります。

今どういう時代で、その中で自分は何をすべきかということがわからないのです。新聞は読んでいると反論する人もいるかもしれませんが、それだけでは自分の置かれている状況を正しく把握することなどできません。

世の中の本質は新聞に書かれていること、ニュースで報じられていることとの裏側にあるのです。それを読み解くには、いわゆるメディア・リテラシーが必要でしょう。メディアは中立であるべきですが、それが人間の主観を伝えるものである以上、どうしても偏りが生じます。そのメディアのフィルターを取り除き、物事の本質を見る目が求められるのです。つまり第1章で紹介した哲学をすることで、現実を正しく把握することができるわけです。

これで現実を把握するためには、思考力と感性が必要だということはわかっていただけたと思います。なぜなら、すでに紹介したように、哲学こそ思考力と感性の賜物だからです。だから本当は哲学をしっかりとやっていれば、思考力も感性も失われることはないのですが、残念なことに日本ではなかなかそうした機会はありません。それもあってこうした能力が失われているのでしょう。でも、そのせいで夢まで失っているとしたら、これは決して放置できません。夢を持たずに人が生きていくのは大変だからです。夢、志、希望、こうしたものは人間が生きていくうえでのベクトルであり、エネルギーだと思います。

哲学的ゾンビにならないように

人の意識は見えません。でも人間である限り意識があるはずです。往々にしてそれは生きる気力や希望という形で可視化されます。だから夢も希望もない人は、まるで死んでいるようだと形容したりします。実際、哲学の世界でも意識はないけれど、あたかも人間のように生活している人のことをゾンビになぞらえて、哲学的ゾンビと呼んだりします。

私たちも哲学的ゾンビのようにならないように、夢や希望を持って生きる必要があるのです。子どもたちは夢のある人とそうでない人をすぐ見抜きます。感受性が高いからです。いくら作り笑顔で「夢を持とう」などといっても、自分に夢がなければ説得力がないのです。

子どものお手本であるということは、何も清く正しく生きることだけを意味するわけではありません。ある意味でそれよりも大事なのは、夢を追う姿を子どもたちに見せることです。生きるのは面白い、生きるのは楽しい、生きるのは夢があると思わせること。それこそが一番大事なことなのではないでしょうか。残念なことに、疲れ切った今の大人たちにはそれができていないのです。皆さんは、夢に燃えていますか？

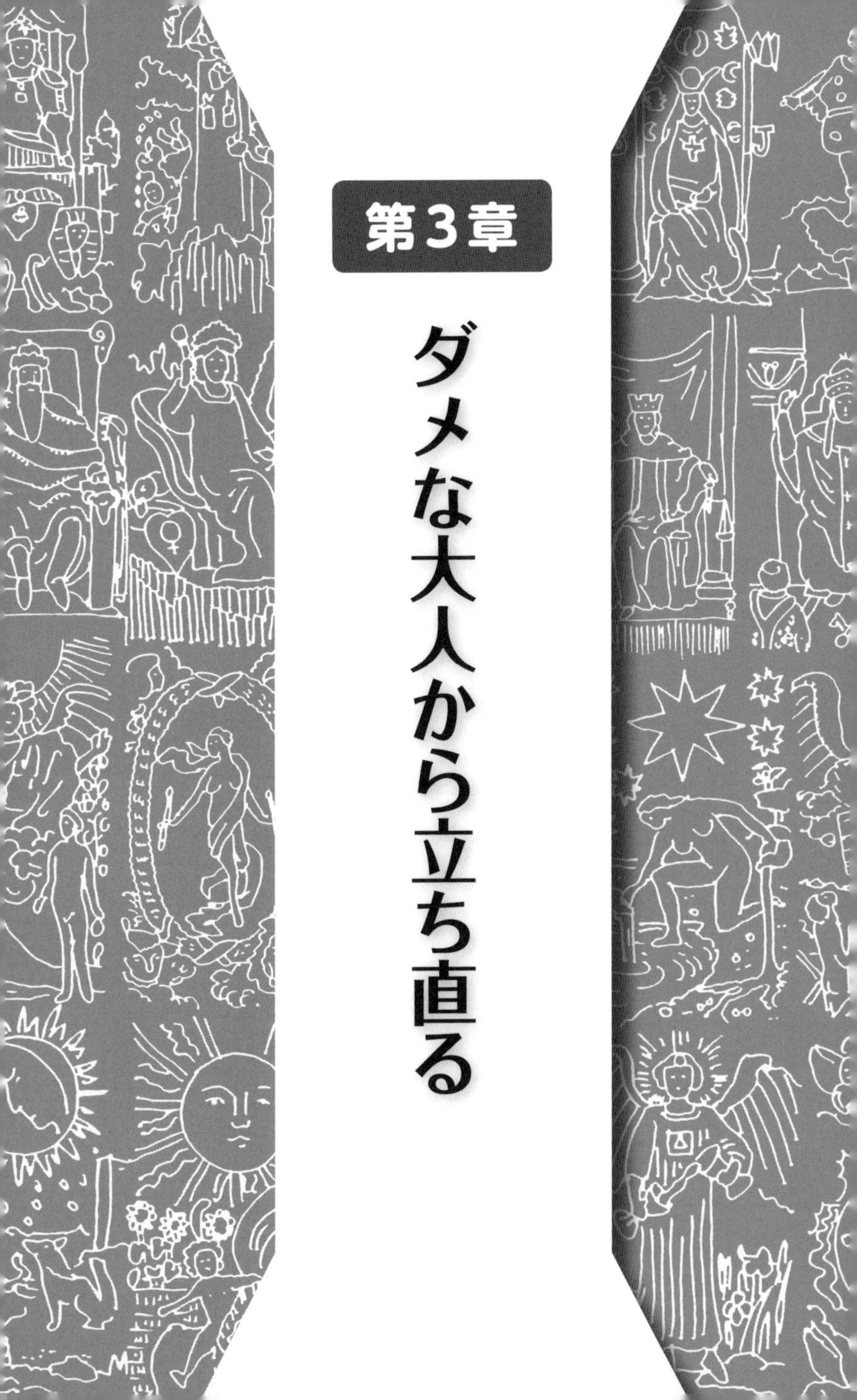

第3章

ダメな大人から立ち直る

ここではダメな大人から立ち直るための再生プログラムを提案します。いわば大人のための正義論です。自分のメンタルもコントロールしつつ、いかに楽しみながらまっとうな大人になっていけるか考えていきましょう。

「頭のバランス力」を鍛える

思考力はない、感性も鈍い、夢も抱けない。そんなダメな大人の話をしてきましたが、私は決して完璧な大人になろうなどといっているわけではありません。それはそもそも無理でしょう。田坂広志さんが、著書『人間を磨く』の中で、こんなふうにいわれています。人間を磨くとは、非の無い人間を目指すことではないと。そうではなくて、自分の中に「非」や「欠点」や「未熟さ」を抱えたまま、周りの人々と良き人間関係を築いていくことができるのではないかというのです。

私も同感です。むしろ自分のダメな部分を自覚しつつ、それをいかにカバーするか、いかに改善するかを常に考え続けることこそが大事なのです。ああでもない、こうでもない、ちょっと行き過ぎたなどと反省しながら。何事についても絶対的な正しさを心得ていて、神様のようにその正しさを振りかざすだけでは、人間らしくありません。それが本当に神様ならいざ知らず、神のまねごとをする人間は、いつの時代も後悔する運命にあるのです。なぜなら人間はすべてにおいて完璧なわけではないからです。

大人は人生経験が豊富

結局、大人にとっての正しさとは何なのでしょうか？　子どもと大人という区別をあえてするなら、その違いは唯一経験の量にあります。大人は子どもより年を取っているのは明らかです。ということは、人生経験だけは豊富なのです。たとえずっと家の中に引きこもっていた大人でさえ、その長い時間を過ごしたのはたしかでしょう。おそらくは悩みながら。

その経験が正しさに影響を与えるとしたら、やはり判断のための情報だと思うのです。だから大人の場合、正しさを判断するための材料がたくさんあるということになります。大人のための正義論を考える際には、その部分に着目する必要があります。

正義とはバランス

その前にそもそも正義とは何かということについて、一般的な考え方を見ておきましょう。それは正義の味方と呼ばれる人を想起すれば明らかです。正義の味方はいつも弱い人を助けます。だから相手が怪獣だったとしても、抵抗もしない怪獣を痛めつけるようなヒーローはまるで悪役に見えてしまうのです。

ということは、正義などというものは、あらかじめ決められないということになります。その証拠に戦争をする国同士は、いずれも自分たちこそが正義だと主張します。しかし、その判断は容易ではありません。すべてが終わってから歴史が判断することになるのです。なぜなら、正義とはバランスだからです。

正義の英語である justice の語源を見ても明らかです。Justice の語源は「ちょうど」を意味する古フランス語の juste ですから。したがって、ちょうどを超えて過剰になったら、もう正義ではなくなるということです。一方的に痛めつけるとか、必要以上に痛めつけたら、いくらいい人でもヒーローではなくなるのです。つまり正義の味方とは、バランスを取り戻す人のことをいうのです。決して悪をやっつける人ではないわけです。

韓国ドラマでこんなシーンがありました。あるジャーナリストが、正義のために妥協することなく悪を追求し続けていました。そのせいで多くの犠牲を伴うことになったのです。家族や友人を巻き込んだせいで、逆恨みによって周囲の人たちを不幸にしてしまったのです。そのときそのジャーナリストは初めて気が付きます。もしかしたら、自分は間違っていたのかもしれないと。

理想論からすれば、どんな犠牲を払ってでも正義を貫くのが正しいようにも思います。しかし、その場合正義を貫いているつもりなのに、貫きすぎるとそれが正義ではなくなるというジレンマが生じるわけです。だから妥協しなければならない。あたかもそれは正義を捨てたかのように見えますが、本当はその妥協こそが正義なのです。言い換えるとバランスを取るということです。

不正義はバランスを欠いている

たしかに世の中のおかしいこと、不正義だと思うことは皆バランスを欠いている状態です。経済格差、差別、いじめ、虐待、テロや戦争でさえも。これらの問題はいずれもどちらかに利益や、苦痛が偏っているから生じているわけです。

大人の正義論についてももちろんこのことが当てはまります。大人も正しさを考える際には、妥協し、バランスを取ることを意識しなければなりません。本書ではそのバランスを取るための能力を「頭のバランス力」と呼びたいと思います。頭のバランス力さえ身につけることができれば、正しい判断ができ、道徳のある大人になれるのです。

その際、先ほど書いたように豊富な経験が判断材料としてあるので、それを最大限生かすようにすればいいのです。もし他者から判断がおかしいと非難されたり、自覚症状があるようなら、バランスが取れていないと思えばいいでしょう。ちょっとやりすぎかなとか、偏っているかなと反省すればいいのです。そうして微調整すれば、きっと正しい判断ができるはずです。

モンスターペアレントなのか、親としての正しい主張なのかは、まさにこのバランスの問題です。やりすぎるとモンスターになってしまって、正義の味方ではなくなるということです。多くのモンスターペアレントには自覚症状がありません。それは彼らが皆、自分は正義を主張していると思っているからです。いや、おそらく最初はそうなのでしょう。でも、次第にそれが度を超していって、ある時点からモンスターになっているのです。痛めつけすぎたヒーローがヒールに見えるように。

経験を生かしてバランスを考える

では、どうして人はやりすぎるのか？　それは経験をうまく使えていないからです。正義に公式はありません。ケースによって何が正しいのかは変わってきますし、何よりバランスを取るのが正義なら、予め何か絶対的に正しい価値などありえませんから。人の命を奪うのは絶対的に悪であり、それを阻止するのは絶対的な正義であるかのようによくいわれます。しかし、そうすると死刑は絶対悪になってしまいます。日本で死刑制度が合法化されているのは、バランスがとれていると思われているからです。人を殺せば、国家が命を奪っても正しいのだと。

したがって、私たちが正しさを考える際には、自分の経験を生かして、何がバランスなのかを常に考量しなければなりません。あたかも理科の実験で分銅を少しずつ載せていって天秤のバランスを取るように。経験が豊富であればあるほど、細かい調整が可能になります。

人間には想像する力がある

だから正しい判断をできる大人になるためには、色んな経験をした方がいいのです。失敗も含めて。悪や敗者の視点からも物事を見ることができるからです。そうでないと判断が偏ってしまうでしょう。エリートの裁判官には人の痛みなど分からないという人がいますが、ある程度事実だと思います。そんなことをいうと、殺人をしないと殺人者の気持ちがわからないのかと反論する人がいます。

　本当はそうなのでしょう。ただそれだとみんなあらゆる犯罪を経験しなければならないので、世の中が崩壊します。そんな悲劇的事態を避けつつ、それでも正しい判断をするにはどうすればいいか。

　そこで頼りになるのが、人間の想像力です。人間が素晴らしいのは、想像する力がある点です。イスラエルの歴史家ユヴァル・ノア・ハラリによると、そもそも私たちの祖先であるサピエンスという種がこの世界を支配することができたのは、フィクションをつくり上げる能力があったからだといいます。

　実際には会ったこともない人たちと同じ共同体に属していると想像するのは、実はすごいことなのです。また行ったこともないような場所も自分の属する共同体だと想像するのもすごいことなのです。私たちにはあまりに当たり前すぎて、そのすごさに気づいていないだけです。ただ、改めてそういわれると、たしかにすごいことだと思えてきます。

その想像力が、経験したこともないことをあたかも経験したかのように思わせるのです。したがって、想像力が豊かだということは、人間として優れているということなのです。逆に、想像力が乏しいと、実際に経験したことだけしか正しさの判断材料にならないので、多くのケースにおいて誤った判断をするはめになります。

想像力を鍛える

だから正しく判断するためにも、想像力を鍛えておく必要があるのです。想像力を鍛えるとあえて表現したのは、単純に想像力を膨らませばいいというものではないからです。それだと行き過ぎることがあります。想像が行き過ぎることを妄想といったりしますが、そこまでいくと今度は正しく判断できなくなります。

なかったことをあったかのように膨らませたり、1を10や100に膨らませたりしたら、誤った判断をするのは目に見えているでしょう。ですから、やはり想像も正しく膨らまさなければならないのです。

そのためには、日ごろからほかの人は物事をどうとらえているのか、よく確認しておく必要があります。そうしてはじめて、妄想に歯止めをかけることができるのです。私は決して妄想が悪いとは思いませんが、あくまで使い道の問題です。小説を書いたり、絵を描いたりするなら、妄想したくらいのほうがいいものができるでしょう。自分にしか見えない世界を表現するのが芸術ですから。

でも、社会の中で正しさを判断するときには、みんながどう思うか、他の人たちはどう判断するかということが重要になってくるのです。自分だけには見えるとか、自分だけにはわかるというものは通用しないのです。人を傷つけたとき、自分にしかその気持ちがわからないとしたらどうでしょう？　きっと逮捕されてしまうに違いありません。

したがって、正しさを判断するための想像力は、そこそこで止めなければなりません。それはもう他者と議論する中で、ボーダーを設定していくよりほかありません。例えば新聞をにぎわすような事件について他者と議論すれば、みんながどう感じ、どう判断しているのかがわかります。そういう事例を積み重ねていくことで、常識的な想像のラインを確立していけばいいのです。それこそが頭のバランス力を鍛える方法でもあります。

常識の再構築

常識的な想像のラインを確立するということは、言い方を換えると、自分自身で常識の再構築をしていることにもなるわけです。常識とは決して世間が作るものではありません。自分自身が作ることもできるのです。自分だけが唱える常識、人はそれを非常識と呼ぶわけですが、どんな常識も最初は非常識なのです。

それが多くの人の賛同を得て、やがて常識になっていくのです。だから大切なのは、自分が正しいと思ったことについて、できるだけ多くの人の賛同を得られる努力をすることです。そのプロセスは、自分の考えが正しいのかどうかをテストする意味も持ちます。どんなに説明しても、どんなに時間をかけても、もし多くの人の賛同を得られないなら、おそらくそれは間違っているのでしょう。

でも、日常そこまでの努力をすることはなかなかないのではないでしょうか。そういうことはよほどの信念のもとに、裁判でも起こさない限り無理なのかもしれません。裁判ではそうやって一人の強い信念が常識を再構成することがあります。

常識を再構成してみる

ただ、ダメな大人の再生プログラムとして、私は常識を再構成する努力をしてみてもいいのではないかと思っています。裁判など起こさずとも、もっと日常的に。つまり、自分の身の回りで感じたおかしいと思うことを疑い、自分なりに常識を再構成して、周囲の人たちの賛同を得る努力をすればいいのです。

たとえば、家庭や職場、あるいは自分の住む地域社会や属するコミュニティなど、狭い範囲でいいと思います。世間の常識とは異なる自分の考えを訴えるために奔走してみるのです。それは世の中に対する異議申し立てであり、社会を変えるための活動といってもいいでしょう。

やり方は簡単です。周りの人におかしいと思うことを打ち明け、自分の意見を述べるだけです。みんなが反対したり、非難すれば、そこで議論をするのです。なぜ自分はそう思うのか。あるいはＳＮＳで反応を見るのもいいでしょう。そうすればより多くの人の反応を見ることができますし、そこで人々の賛同を得られれば、常識を再構成したことにもなるからです。

市民が担う任務

人の意見を変えるのはそう簡単ではないでしょうが、大切なのは、常識を再構成する努力にあります。結果は二の次なのです。本当はこれこそが、社会をつくる大人のあるべき姿であり、少し大げさにいうと民主主義国家の担い手として市民が担うべき任務なのです。

今、政治にも無関心が広がっています。若い人たちが政治に無関心で、投票に行かないといいますが、大人だってそうなのです。高齢者は割と投票に行きます。でも、30代、40代の大人はそうでもないのです。だから20代を責めることなどできません。

そもそも大人とは、国家を支える有権者を意味することさえあります。近代ドイツの哲学者ヘーゲルは、まさに大人イコール有権者ととらえていました。だから家族の役割は市民社会の成員を育てることにあると喝破したのです。

そしてその市民社会の成員が、社会で揉まれることによって、立派な国家の担い手になっていくという青写真を描いていたわけです。近代社会はそうしたヘーゲルの青写真のもとに設計され、発展してきました。

ところが、そのモデルは少なくとも現代日本においては崩れてしまっているのです。家族は市民社会の成員を育てるどころか、一生家族にぶら下がる子どもを再生産しているにすぎません。だから市民社会など存在しないのです。何しろ担い手がいないのですから。さらに問題は、そこで切磋琢磨して揉まれた人間が国家の担い手になるはずなのに、その人材さえいないのです。

だから政治もプロ任せになってしまって、自分たちで社会を築き上げるという風土が醸成されることはありません。常識を再構成するということは、こんなふうに国家を自分たちの手で担うというところにつながっているのです。

このままの状態が続くと、大人たちはただ体制に従い、飼いならされるだけの羊のような存在に成り下がっていくことでしょう。そんな事態だけは避けなければなりません。そのためには、大人たちが再度批判的精神を学び直す必要があるでしょう。それは哲学を学ぶのでもいいし、主権者教育を受け直すのでもいいと思います。

いや、学び直しではなく、初めて学ぶといったほうが正確でしょう。この国では哲学も主権者教育もなかったのですから。最近ようやくその問題に気づいて、2022年度から「公共」という科目が全高校生向けに必修で導入されます。これはまさに哲学と主権者教育を柱にした新科目なのです。

したがってこれからの高校生が大人になった暁には、今の大人と違って多少は批判的精神を持ち、常識を再構成できるようになるのかもしれません。でも、少なくとも今の大人たちにはそれが欠けているのです。だからといって決して手遅れではありません。昨今のリカレント教育ブームをうまく活用すればいいのです。

リカレント教育

人生100年時代ということもあって、最近リカレント教育の重要性が叫ばれています。人生働く期間が長くなるので、一度大学等で学んだことも、すぐに賞味期限が訪れるからです。社会人も何度か学び直しをしないことには、時代についていけないということです。しかし私は、リカレント教育はそのためだけではなく、むしろダメな大人を再生するためにも有効だと思っています。頭のバランス力を鍛える機会として利用するのです。

具体的には、これまでの教育に欠けていたことを、この学び直しの機会に身につければいいのです。主な目的は新しいビジネスの知識を修得したり、キャリアチェンジのための準備をしたりということでいいと思いますが、ついでに哲学や主権者教育を受ければいいのです。

今なぜリカレント教育なのか

まずそもそも今なぜリカレント教育なのかという点について、もう少し詳しくお話ししておきましょう。先ほど人生１００年時代だからといいました。これはわかっていただけると思います。人生の時間が長くなるということは、三つの意味で学び直しが求められてきます。

学び直しの三つの意味

一つ目は、何度も仕事や職種が変わる可能性があるということです。人生１００年時代は健康寿命も延びるという前提なので、単純にこれまでより2、30年寿命が延びるという話ではないのです。いわばこれまで60歳まで一つの仕事をしてきたのが、90歳くらいまで働けるという意味なのです。そうすると、50歳くらいまで最初の仕事をして、次はそのキャリアを生かして70歳くらいまで二個目の仕事を、そして最後は社会貢献のような形で三個目の仕事をするというようなキャリアパスが普通になるのではないでしょうか。

あるいは50歳になるまでに何度か転職する人も増えてくると思います。アメリカのように。すでに雇用の流動化は始まっており、今や転職は当たり前の時代ですから、それにもっと拍車がかかると思うのです。したがって、仕事を変わる前に準備として、逆に仕事を変わってからキャッチアップのために、多くの人が学び直しをすることになるでしょう。キャリアとキャリアの間に勉強に集中する人もいれば、働きながら勉強する人もいることでしょう。

人生100年時代に学び直しが求められる二つ目の理由は、時代の変化が激しいということです。人生100年時代はテクノロジーの時代だともいわれます。100年も元気で生きられるのは、医療を含めたテクノロジーのおかげなのです。それにAIの台頭はもはや止められないでしょう。その加速するテクノロジーに合わせる形で、私たちも知識を常にアップデートしていかなければならないのです。大学で学んだことは10年もすれば賞味期限が切れて、学び直しが必要になってくると思います。おそらくそれが繰り返されるのです。ですから、リカレント教育とは再び学ぶという意味ではなく、本当は繰り返し学ぶということなのだと思います。

三つ目の理由は、人生の時間が長いということです。もてあますとまではいいませんが、少なくともこれまでのような駆け足の人生ではなく、誰もがもっとゆったりと時間を使うことになるはずです。そのためのテクノロジーでもあります。したがって、趣味で学ぶとか、キャリアをブレークして学ぶとかいったことが増えてくると思います。これは必ずしも仕事につなげるためだけの学びというのではなく、あくまで人生を豊かにするための学びです。

哲学と主権者教育を新たに学ぶ

私がダメな大人の再教育として位置づけようとしているリカレント教育は、まさにこの三つ目に関係しています。つまり、仕事のためだけではなく、人生をより豊かで、より良いものにすべく、今まで自分に欠けていたものや、これから身につけるべきものを学んでいくということです。

私自身これまで仕事のため、あるいは時代の変化に対応していくために、リカレント教育を受けてきました。哲学者になったのは働きながら大学院に行った結果です。また、グローバル時代に対応すべくアメリカに研究に行ったのもリカレント教育といえます。さらに人生をより豊かにするために、今は韓国語を勉強しています。もちろん最初は韓国ドラマを理解したいという動機から始まっているのですが、日韓関係の悪化が及ぼす影響を目の当たりにし、今では両国の良好な関係を維持するために何か役立ちたいという動機の方が強くなっています。

こんなふうに人生を豊かにし、より良いものにするために学び直すというのは、自分のためだけでなく、社会のためにもプラスになると思うのです。たとえば、私が提唱する哲学と主権者教育の学び直し、正確にいうとこれらを新たに学ぶことは、自分のためにもなりますし、何より社会を大きく変えることにつながってくるでしょう。

自分は何をすべきか

たしかにこれまで哲学や主権者教育など、学ぶ場所がなかったかもしれません。でも今は、幸い人生１００年時代によるリカレント教育のニーズのおかげで、こうした科目を学ぶ機会も出てきています。私自身、様々な人たちに向けて哲学の講座を開く機会が増えていますし、ある意味で哲学カフェは哲学を学ぶ場であり、かつ主権者教育の場でもあります。

テーマにもよりますが、参加者たちは哲学しながら、どうしても世の中のことを考えざるを得なくなります。なぜなら、いかなる問題も市民が共有して論じている限り、社会の問題とつながってくるからです。たとえば、以前「筋肉とは何か?」というテーマで話し合ったときでさえ、最終的には人生100年時代を生き抜く身体をつくるための社会的インフラの話に発展しましたから。

しかもその際、自分は何をすべきなのかという視点が必ず問われてきます。そうするともう、その議論自体が主権者教育の実践編になるのです。主権者教育で一番大事なのは、一人ひとりがいかに社会にかかわり、社会を変えていくのかを考えること、及びその実践だからです。

何も大学や大学院に通ったりするだけがリカレント教育ではありません。ぜひ社会にあるリソースをうまく使って、ダメな大人から生まれ変わっていただければと思います。

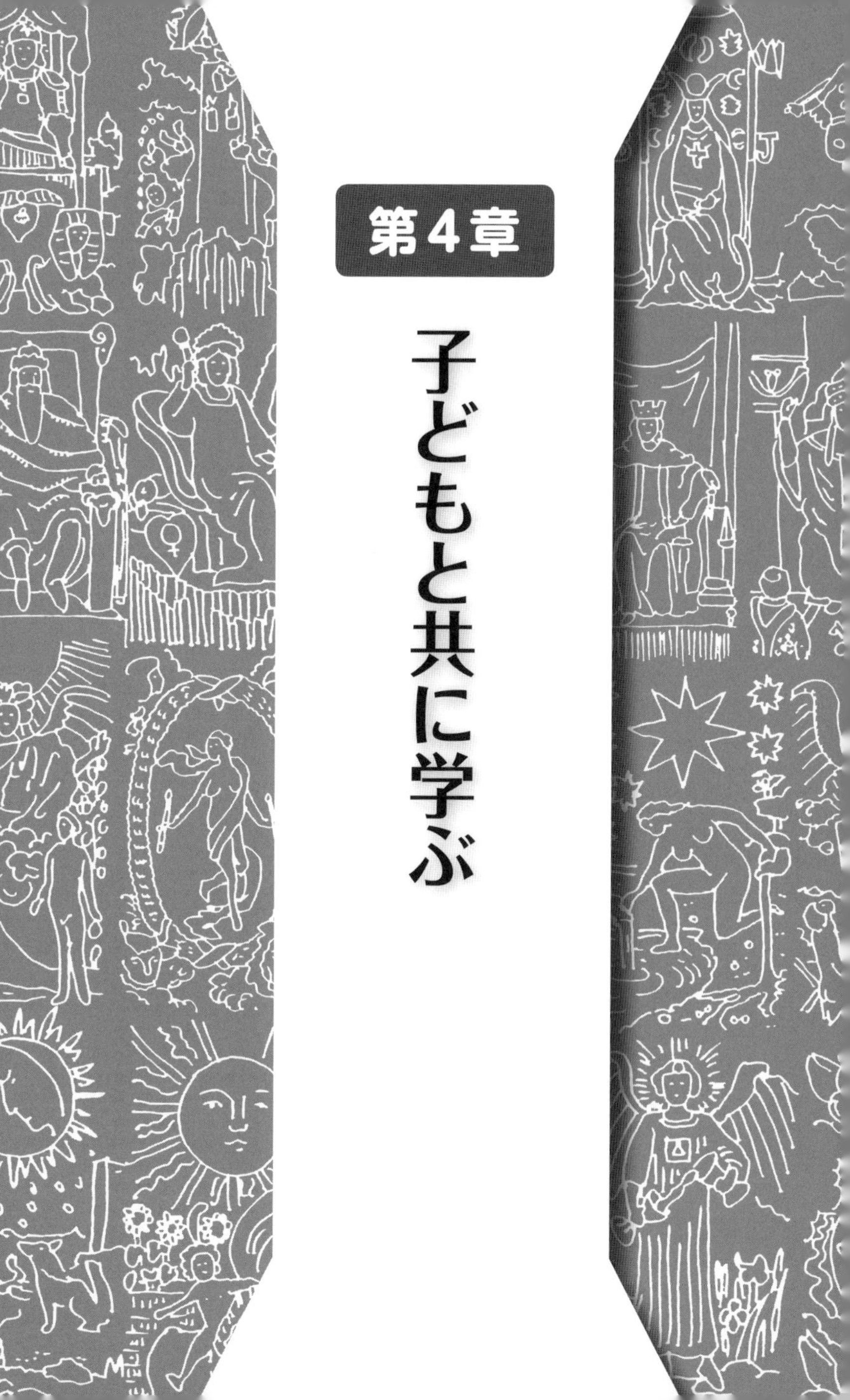

第4章

子どもと共に学ぶ

大人は教育する立場にあるので、自分を変えるということと、子どもを教育するということを同時に行っていく必要があります。ここではそのためのノウハウについて論じていきます。

大人と子どもが共に学ぶ

大人が変わらなければならないという話をしてきたわけですが、私が本当に望むのは子どもたちが正しく育ち、正しい判断のできる大人になることです。そうすれば、負の連鎖を断ち切ることができるでしょう。

だから一番いいのは、変わるべき大人と変わるべき子どもが共に学んでいくことだと思います。お互いを反面教師にしながら、刺激し合いながら成長していく。それが望ましい姿だと思うのです。

どうしても大人が一方的に子どもを教えるように思いがちですが、実際にはそうではありません。子どもに教えられることはたくさんあります。あるいは、子どもと共に学ぶからこそ気づくこともあるのです。私自身がそうやって子どもたちからたくさんのことを学んできました。これは決して子どもを持つ親が自分の子どもから学ぶというだけでなく、世の中の子どもという存在から学ぶということです。

幸い私は高専で８年、大学で５年、教師として働いてきましたので、高校生や大学生からもたくさんのことを学ぶことができました。また、哲学カフェなどでは小学生や中学生と対話する機会も多く持ってきました。その意味で、世の中の子どもたちから学べる機会は比較的多かったように思います。しかも小学生から大学生まで幅広い層の子どもたちと接することができたのは、自分の成長にとって大きなプラスになりました。

まず子どもから何が学べるか？　それは自分に無いものだといっていいでしょう。

その場合も、自分の子どもから学べるものと、子どもという存在一般から学べるものは少し違います。

子は親の鏡

自分の子どもから学べるものは、なんといっても「自分の間違い」です。一般に親は、子どもを教育しないといけないと思っています。そうすると、自分の価値観を押し付けがちなのです。ところが、子どもはそれを素直に受け入れようとしません。たとえば、いい成績をとって、いい学校にはいりなさいといっても、それを素直に受け入れる子どもばかりではありません。

なぜなら価値観が違うからです。でも私たちはそれが正しいと思っています。それが人生において成功するための方法だと。にもかかわらず反抗するのは、子どもがまだ世の中のことをわかっていない証拠だと決めてかかり、強引に価値観を押し付けます。

その結果、最悪の場合子どもは暴発してしまいます。そうしてはじめて、自分が間違っていたことに気づくのです。子どもからノーを突き付けられることで、私たちは学ぶのです。そして子どもが自分の所有物ではないことを認識します。

冷静に考えてみれば、自分も子どもだったのです。年だけとって大人になった気がしていますが、中身はどれだけ成長しているのかあやしいものです。価値観とかいいますが、それが絶対的に正しいとどうしていえるのでしょうか。だから私たちはもっと謙虚にならなければならないのです。

あるいはもっと反面教師的な学び方をすることもあります。子は親の鏡だといいます。子どもが不適切な行動をとったり、不適切な言葉遣いをしているとき、ふと冷静に見ると、自分自身がまったく同じことをしているのに驚くことがあります。

自分では自分の悪いところはわからないものです。でも、一番身近な自分の子どもがそれを真似てしまって、その姿を客観的に見せられると、すぐにわかります。いかに自分が間違っているかが。一番滑稽なのは、それに気づかず、子どもだけ注意している大人です。周囲からはそれが見えているので、「あの親は自分を棚に上げて何をいってるんだ」というふうに思われてしまうわけです。

だから子どもの悪いところは、自分の悪いところだと思ったほうがいいでしょう。ぜひそういう目で子どもの言動を通じて、自分の悪い点を見直していただきたいと思います。

大人とは違う視点

次に、子どもという存在一般から学べるものについてお話ししたいと思います。子どもの視点は大人の視点と全く異なります。その意味では小学生から学べることが一番貴重です。哲学カフェに小学生が参加することがあります。時には大人の中に小学生が一人で混じっているという状況もあります。そんな時、最初大人の反応はいつもこうです。口には出しませんが、「やれやれまいったな、一人子どもがいるじゃないか」「この子に合わせないといけないのか、面倒だな」「この子は話について来れるのかな?」とつぶやいているのです。これは後からそういう話をよく聞くので、単なる私の推測ではありません。

ところがです。まるでお荷物扱いのその子が、最後にはヒーローになるのです。これはいつも起こることです。なぜそうなるかというと、その子だけが大人とは違う視点を持っているからです。これは哲学カフェにとってはとても大事なことなのです。哲学カフェの目的は、自分とは異なる他者の意見を聞くことで、異なる視点から自分の考えを吟味し直すことです。

人間には思い込みがあります。それをいったん疑い、様々な視点でとらえ直してみる。それが哲学のプロセスなのですが自分一人でやるのは難しいのです。だから他者と対話するわけです。哲学カフェはよく誤解されているように、みんなで話し合って、一つの答えを出すものではないのです。むしろ一人ひとりが自分の考えを吟味する場だといっていいでしょう。そうすると、自分の中にない異なる視点、異なる意見であればあるほど貴重なのです。

参加者たちは、話をするなかで、小学生だけが自分たちとはかなり異なった視点を持っていることに気づき始めます。そしてご意見番のようにその子の意見を求め出すのです。

もちろん逆もあります。若い人たちは、大人から学ぶこともたくさんあります。つまり、相互に学び合っているのです。それは決して知識を学ぶということではなく、考え方を学んでいるのです。

「天使の声」と「悪魔のささやき」

これは哲学カフェなど開催しなくても、日ごろから子どもたちの行動を見ていれば同じような効果があります。話す機会があればなおいいでしょうが、無理なら彼らの書いた作文を読むのもいいでしょう。出版物になった小学生の作文集などもありますから。

子どものスピーチを聞くのもいいでしょう。子どもを「天使の声」にするわけです。大人は悪魔とまではいいませんが、現実に染まりきった大人の考えは、いわば「悪魔のささやき」のようなものです。わかっちゃいるけど、現実に鑑みるとそんな理想的なことはいってられないと。だからいつまでたっても経済優先で、地球環境なんてお構いなしなのです。たとえそれが未来の地球を破壊し、子どもたちの居場所を奪う結果になっていたとしても。

子どもたちからの指摘

だからグレタ・トゥンベリさんのスピーチは人々の心を打ったのでしょう。国連本部での強烈な演説で世界中の注目を浴びたスウェーデンの環境活動家グレタ・トゥンベリさんのあの演説です。彼女はまだ16歳ですが、大人顔負けの行動力と言葉を持っています。いや、16歳だからこそといったほうがいいでしょうか。

グレタさんは、政府に対して気候変動のためのよりよい対策を取ることを要求して、学校に行かないというストを断行し、大きなムーブメントを巻き起こしました。あるいはソーラーパネル付きのヨットで大西洋を横断する航海を成功させたり、何より先ほども紹介したように、世界に向けて国際会議でインパクトのあるスピーチを行っています。

これはまさに私が唱える公共性主義のお手本だといえます。つまり、公共性の衰退を止め、その価値を上げるには、行動が必要だとする主張です。これについては第5章で詳しくお話ししたいと思います。

今環境問題は全世界にとって喫緊の課題だとされていますが、環境問題が最初に世界的な注目を浴びたのは、1992年にリオで開かれた地球サミットです。私も当時大学生で、ぎりぎり子どもの心を持っていたので、強く関心を持ったのを覚えています。特に、セヴァン・カリス＝スズキさんのスピーチは印象に残っています。彼女は当時12歳でした。

やはり経済という現実を相対化して見ることで、物事の本質を見極めるには、子どものような純粋な目が必要なのかもしれません。同じことは教育についてもいえます。教育もまた、投資のようなものなので、目先の利益の前に軽視されがちです。だから子どもたちから指摘されると、ハッとするのです。

ノーベル平和賞を受賞したパキスタン出身の活動家マララ・ユスフザイさんの演説もそうでした。女子への教育の必要性を訴え、「1人の子ども、1人の教師、1冊の本、1本のペンが世界を変えるのです」というそのシンプルな表現に、私たちは蒙を開かれた思いをしたのです。

しかし、ことはそう簡単ではありません。マララさんはタリバン政権が女子の教育を阻んでいるという文脈の中でこの主張をしているからか、あえてそう問題を矮小化したいのか、その言葉が日本の大人たちに届くことはなかったのです。その証拠に、日本の公教育にかけるお金は、ＯＥＣＤ諸国の中で相変わらず最下位です。日本のＧＤＰが上位にあるのに比して、これはやはり問題だといわざるを得ません。目先の利益のために、教育を軽視しているとの誹りを受けてもやむを得ないでしょう。

哲学カフェに子どもと一緒に参加する

以上のように、子どもから学べることはたくさんあります。では、どうすればそうした事柄を子どもと共に学んでいくことができるのでしょうか？　こちらが一方的に観察して子どもから学ぶことは比較的簡単です。でも、大人が学ぶということの最終目標は、その学びを子どもに還元することです。つまり、大人だけが学んでも、それが子どもに伝わらなければ意味がないのです。その点で、最善の学びの方法は、大人と子どもが共に学ぶことだと思います。

そこで、ここからは子どもとどう共に学ぶのかという点についていくつかアイデアをご紹介したいと思います。一つ目は、先ほどの哲学カフェのような場に一緒に参加するという方法です。親子でもいいですし、あるいは他人とだけでもいいでしょう。大人と子どもが同じテーブルで議論することが大事なのです。実際、親子で参加される方も結構います。

親は子どもに学びの場を与えるつもりで連れてくるのですが、実際には親子が共に学ぶ場になっています。特に、自分の子どもはこんな風に考えているのかという発見があります。それを聞いて、親は子どもに対する理解を深めたり、襟を正したりするのです。

哲学カフェはハードルが高いとか、近くでやっていないという場合は、親子なら夕食のテーブルでやればいいのです。「小さな哲学者たち」というフランスのドキュメンタリー映画があります。なんと幼稚園児に哲学教育をするという実験をした映画です。さすが哲学の国フランス。やることが違います。

手法は哲学カフェです。愛とか死について考えさせるのです。そうすると、子どもたちが家でそういう話をするようになり、親子での対話も哲学的になってきます。親が「今日は何のテーマで哲学する?」と尋ねると、やがて子どもは「親は何の役に立つのか？」などと答えるまでに成長!?します。お勧めの映画ですので、ぜひ観ていただければと思います。

つまり、子どもが何歳であろうと、食卓を囲んで哲学対話をすることは可能なのです。そうして共に学ぶことができます。決して難しいことではありません。たとえば子どもが学校でいじめがあるという話をすれば、「いじめってそもそも何だろう？」と問いかければいいのです。その瞬間、共に学ぶ空間が出来上がります。

子どもと一緒に学校の勉強をする

二つ目は、子どもと一緒に勉強することです。そのままですが、この勉強は狭い意味での勉強、つまり学校の勉強です。それなら子どもの勉強を教えるとか、見てあげるというふうに表現すべきだと思うかもしれません。でも、そうではないのです。

子どもと一緒に同じ勉強をするのです。実際には子どもの勉強を見るということなのですが、気持ちの上では自分も一緒に学ぶつもりでやったほうがいいのです。例えば、友達同士がテスト勉強を一緒にやって、教え合うとしましょう。これはお互いにとって理解を深めるいい方法なのです。それは勉強の中身だけでなく、相手の物の考え方を知るいい機会でもあります。

どの科目でもいいのですが、特に役立つのは国語です。読解問題などで、自分の受け止め方を答える問題を解いていると、子どもがどう物事を考えるのかがよくわかってきます。そして同じ問題を考えているだけに、自分の思考回路との違いも鮮明になるのです。そうして子どもを知り、自分を知ることができます。

忙しくてなかなか子どもと勉強するなんて時間はとれないかもしれませんが、自分の自己啓発の時間だと思って、たまにでもいいのでやってみると効果てきめんです。それに国語の文章題をやるのは、頭の体操にもなりますから。

エイリアンたちによる調査

余談ですが、私の本もよく国語の入試問題や模擬試験に使われます。そして学校や塾から問題が送られてくるのですが、どうしても納得がいかないことがあります。それは「作者の気持ち」の模範解答が、私の考えと違うことがある時です。そんな時謙虚な私はこう思うことにしています。「きっと自分でもわかっていない部分があったのだ」と。そう思う方が学びが多いですから。

いや、これはあながち冗談ではなく、本当にそうなのでしょう。文章というのは、人それぞれ解釈が可能です。経験が異なれば、同じ文章でも異なる解釈をしてしまう。それは文章どころか、一つひとつの言葉に対する感覚が異なるからです。

倉田剛さんが『日常世界を哲学する』の中で、「エイリアンたちによる調査」という思考実験のような設定について書かれています。つまり、エイリアンにしてみれば、私たち人間の日常は、決して当たり前のものではなく、一挙手一投足が不思議なものに見えるということです。

たしかに、私たちは当たり前のように、朝起きて仕事をして家に帰ってくるという動作を繰り返していますが、それすらエイリアンにしてみれば意味不明なのかもしれません。このように、物事はすべて色んな解釈の可能性があるわけです。何もエイリアンを持ち出さずとも、少し背景の異なる人にしてみれば、同じ物事も異なる意味を持ちうるということです。これで子どもと共に勉強することの意義がわかってもらえたでしょうか。

子どもと一緒に本を読む

三つ目は一緒に本を読むことです。読書は勉強とは少し違います。子どもが小さい頃は読み聞かせをする親も多かったと思いますが、大人になると本は一人で読むものになります。それをあえて一緒に読むのです。これは何歳でもできます。高校生くらいになると大学生がやる輪読みたいなかたちになるかもしれませんが。つまり、分担を決めて、内容を要約したりして、議論するのです。

同じものを読んでいるので、知識も共有しており、議論が弾みます。難しい本でなくても、最初は入門書や小説などでいいと思います。徐々にレベルを上げていって、最終的には難解な評論や古典などを扱えばいいのです。

ちなみに拙著『哲学で子どもの思考力が伸び、心が成長する』は、まさに親子で読むことを想定して書いた哲学の本です。ぜひ試していただけると幸いです。もちろん本書でも構いませんが。大人の皆さんさえ差し支えなければ……。

子どもと一緒に遊ぶ

　最後に少し変な表現ですが、子どもと遊ぶことの重要性について触れておきたいと思います。これもある意味では子どもと共に学ぶことでもあります。ただし、大人の視点から割り切って遊ぶのでは意味がありません。それでは自分の方に学びはないからです。子どもと同じ気持ちになって一緒に遊ばなければなりません。

　そうしてはじめて、子どもにしかない好奇心を学び直すことができるのです。好奇心は子どもの原動力のようなもので、そのおかげで子どもは風船のごとく膨らんでいくのです。そしてずっと膨らみ続けることができた人だけが、社会で大成功するといっていいでしょう。

　ところが、多くの人は途中で風船を割ってしまうか、しぼませてしまいます。それは大人のせいです。大人が好奇心を殺してしまうのです。「いつまでもそんなバカなことしてないで」とか、「そんなの当たり前でしょ」といって、子どもの探究心に水を差してしまいます。

　その結果子どもは面白くない大人になっていくのです。ですから多くの大人は、子どもからもう一度好奇心を学ぶ必要があるのです。実は好奇心は、人間が成長するうえで不可欠のとても大事な要素なのです。

好奇心を育む

児童精神科医の杉山登志郎さんが『子育てで一番大切なこと』の中で子育てにとって重要な要素として好奇心を挙げています。なぜならヒトは生物であって、その生物の基本が好奇心だというのです。多様な子どもたちが好奇心に支えられて多様な成長をしていくことが良いことだということだというわけです。

その好奇心を忘れてしまった大人は、好奇心を大事にしなければならない子どもとともに、遊びながら好奇心を育むことが必要だと思うのです。自然の中で不思議なものを発見したり、なんの変哲もないものをなんだろうと考えてみたり。そうしたプロセスを経ることで、大人もまた多様な考え方ができるようになっていくのではないでしょうか。

既存の価値観やシステムが行き詰まる今、一番求められている能力は創造性だといわれますが、その創造性のエンジンとなるのが好奇心にほかなりません。よく5歳児は最強だといいます。なぜなら、物事が分かってきたと同時に、まだ常識に毒されていない状態だからです。小学校に上がるとどうしても画一的な教育が始まるので、常識の枠にはまっていきます。

ところが5歳児にはまだ枠などないのです。彼らは自分の関心が赴くままに対象に突進し、没入していきます。虫の世界にだって、おもちゃの世界にだって没入することが可能なのです。おそらく彼らの頭の中では、大人たちが想像もつかないような世界が展開していることでしょう。そこはきっとイノベーションの宝の山に違いありません。

残念ながら私たちは5歳に戻ることはできませんが、彼らの世界を共有させてもらうことはできるはずです。それは本気になって彼らと遊ぶことです。常識なんて忘れて。多少羽目を外して失敗してもいいでしょう。創造性を学ぶための授業料だと思えばいいのです。先生はもちろん5歳児です。

第5章

正しい大人の振る舞い方

ここでは正しい大人の振る舞い方について、古今東西の哲学者たちの考えを参照しながら、具体的場面を想定して実践的に考えていきます。

バランスの取り方を考える

この章では、様々な具体的場面を想定して、実際にどのように判断するべきか論じていきたいと思います。誰もが直面しそうな20の場面を挙げましたが、実はこれらはいずれも私がこの半世紀で経験してきたことばかりです。私自身の反省も含め、正しいバランスの取り方を考えてみたいと思います。

いずれにも共通しているのは、いかに両極端な態度の真ん中を選び、それを実行できるかという点です。言い換えると、どんな問題に対しても、ついつい傍観してしまうか、逆にキレて過激な行動に出るかのいずれかになってしまいがちです。どっちの態度も世間から非難される大人のダメなふるまいです。

どうすれば、うまくバランスを取ってその間の行動がとれるのでしょうか。もちろん具体的な問題ごとにそれは変わってきます。そのへんは今からお話ししていくとして、一つだけ総論的にいえるのは、冷静に一歩引いて見る目を持つことでしょう。

どの問題にも参考になる歴史上の哲学者の考えや言葉を添えておきました。これは別におまけのように言及しているわけではありません。歴史上の哲学者たちの視点というのは、一歩引いた冷静なものなのです。だからこういうカッとなりがちな問題や、とっさの問題に対して適用すると、冷静な判断を下すことが可能になるのです。

物事は自分の頭で考えて判断すべきですが、使えるものはどんどん使えばいいと思います。ぜひ大人の振る舞いをするための道具として使うつもりで、そうした英知を活用していただければと思います。それでは具体的問題を見ていきましょう。

① 人と意見が合わないとき

人間の数だけ考え方があるといってもいいでしょう。同じことを判断するときにも、まったく同じ考えにはならないはずです。結果的にどっちを選ぶかという二択になれば、それはあたかも考えが二種類しかないように見えますが、やはり人の数だけ微妙に違うのです。選択が二つしかないから、どちらかといえばこっちかなと妥協しているだけです。

なぜ人によって意見が異なるかというと、それは経験も違うし、個体としての機能も性質も異なるからです。そのことを価値観と呼ぶこともあります。したがって、価値観が100パーセント一致するなどということは本当はなくて、かなりの部分や重要な部分で重なっているとき、私たちは価値観が合うと表現しているだけなのです。

そう考えると、人と意見が合わないのは当たり前です。むしろ合う方が奇跡だと思うくらいでちょうどいいのでしょう。にもかかわらず、私たちは人と意見が合わないと、まず腹を立てます。どうしてこいつはわからないのだろうかと。

そして自分の意見を理解させようと躍起になるのです。説得したり、強弁したりと。困ったことに、相手も同じ態度を取りますから、当然ぶつかります。最悪その人との関係は壊れてしまい、もう二度と話さないというようなことにもなりかねないのです。

では、どうすればいいか？　頭のバランス力を働かせるなら、やはり意見が違うのは当たり前という前提のもと、相手の意見を受入れた方がいいでしょう。ただし、自分の意見をまげて、相手の意見をそのまま採用するということではありません。それだとバランスを欠いてしまいますから。

第三の道を作る

そうではなくて、ヘーゲルの弁証法を用いて、第三の道を作り出せばいいのです。ヘーゲルの弁証法は、何か問題が生じたときや、矛盾する事柄が生じたとき、それを切り捨てるのではなく、むしろ取り込んで第三のより発展した答えを導く論理です。いわばマイナスをプラスに、ピンチをチャンスに変える思考法です。

人と意見が合わないとき、これを応用するなら、相手の意見を切り捨てるのではなく、むしろ自分の意見の中に取り込むのです。そうして第三の意見を作り出す。これは決して妥協という意味ではありません。どちらも切り捨てていないのですから、妥協ではないでしょう。逆転の発想をすればそれは可能なのです。頭の使い方にかかっています。

たとえば、ＰＴＡの会長は地元の名士でないとダメだという人がいたとします。しかしあなたはやる気のある人にやってもらった方がいいと思っている。さて、どうするか？　この場合、地元の名士にやる気にならせれば問題は解決するはずです。あとはその人にやる気にならせる努力をするのみです。意見が対立したからといってすぐにあきらめるのではなく、粘り強くバランスをとる方法を模索してみてください。

②　派閥を作ろうとしている人がいるとき

人間は皆群れたがるものです。古代ギリシアの哲学者アリストテレスは、人間はポリス的動物だといいました。つまり人間は、古代ギリシアの都市国家ポリスという共同体の中で互いに助け合って生きていかざるを得ない存在だということです。

その理屈はおそらく古今東西を問わず当てはまるのでしょう。現に私たちは今も家族、地域社会、仲間、会社、国家といった様々なレベルの共同体を形成し、その中で助け合って生きています。派閥もその一つです。

自分の仲のいい人や自分に従う人を集めて、グループを作ろうとするのです。なぜか？　その方が心地いいからです。反対者がいるより、同じ方向性を共有する人たちが集まって、互いに協力した方が事がスムーズにいくからです。しがたって、人は派閥をできるだけ大きくしようとします。最大勢力になれば、その集団は自分たちの意のままになりますから、こんなに心地いいことはないでしょう。まるで政治の世界の話のようですが、会社でもＰＴＡでも皆同じです。

たとえばＰＴＡで派閥を作ろうとする人がいたとします。そのときあなたも仲間に誘われたとしましょう。最初の会合で目をつけられて、ランチに誘われた。明らかにその人はボスっぽい人で、ＰＴＡでの主導権を握ろうとしている。他方で、もう一人強烈そうな人がいて、同じように何人かに声をかけている。

ところが、あなたはそういう面倒な争いには巻き込まれたくない。さて、どう振る舞うのが正しいのでしょうか？　これはなかなかの難問です。なぜなら、ＰＴＡの場合は子どものことが絡んできますから。

自分はよくても、どこかに属しておかないと、子どもがいじめられたり、情報がもらえなかったりするのです。もし断ったら、親は絶対に「〇〇ちゃんと付き合っちゃだめよ」といってきます。

でも、どちらかの派閥に属するということは、敵を作るということをも意味します。そこで頭のバランス力を働かさなければなりません。つまり、ここでもバランスです。派閥なんておかしいとか、自分は我が道を行くなどとはっきりいってしまうと、完全に孤立します。かといって、あまり積極的にどちらかの派閥に属するのもリスキーでしょう。

どちらの言い分にも真摯に耳を傾ける

だからどちらにも緩やかな感じで属しておくのが理想ですが、なかなかそう都合よくいかないでしょうから、とりあえず有力そうな方を選べばいいのです。ただし、どちらかにどっぷりつかるのではなく、もう一方の派閥の人たちともうまく付き合う。これがバランスです。

二重スパイみたいで気が引けるかもしれませんが、バランスだと思えばできるはずです。また、周囲からもそう見られないように注意する必要があります。コツは本気でどちらの気持ちにも真摯に耳を傾けることでしょう。一方に属するのはやむを得ないにしても、どちらの言い分にも真摯に耳を傾けることまでは禁じられていないはずです。

先ほどのアリストテレスは、相手を自分のことのように思うのがポリスにおける倫理だと説いています。それをフィリア、つまり友愛と呼んだわけです。真のフィリアを心がけていれば、どちらからも敵視されることはないはずです。

③ ハラスメントだといわれたとき

現代社会はハラスメント過剰社会だといっても過言ではないでしょう。それだけハラスメントが横行しているということです。セクハラ、パワハラ、マタハラ、アルハラ、アカハラ等々。逆にいうと、なんでもハラスメントになりうるのです。その意味では、ハラスメント過敏社会でもあるのかもしれません。

ですから、両方に気を付ける必要があるでしょう。少なくともいえるのは、バランスを欠いているということです。ハラスメントとは嫌がらせのことで、しかも加害者がどう思おうが成立してしまうものです。一般には、本人が意図するしないにかかわらず、相手が不快に思い、相手が自身の尊厳を傷つけられたと感じるような発言・行動をいうわけですから。

そうなると、相手が過敏であったり、悪意があるような場合は、簡単に自分も加害者にされてしまうわけです。なかなかこのようなことをいうのは勇気がいるでしょうが、多くの人がハラスメントの話をすると、こうした本音を漏らします。

ということは、やはりどこかバランスを欠いていることに皆気づき始めているのです。たしかにこれまでは正反対の状況でした。誰も性的発言に対して意識がなかったり、平気でお酒を飲ませたりしていましたから。ところが、勇気ある人がそれを訴えて、バランスがとられるようになったのです。ところが、今度はハラスメントが行き過ぎている。

行き過ぎは指摘する必要がある

そのバランスをとるためには、別の勇気ある行動が必要なのです。誰もが言いにくいことかもしれませんが、あえてハラスメントの行き過ぎを指摘する必要があると思います。相手が不快に思ったり、尊厳を傷つけられたと感じるだけでは不十分で、その相手が常識人であるかどうかの審査が必要です。

フランスの哲学者フーコーによると、古代ギリシアの時代には、危険を顧みずに真理を語る勇気が称賛されたといいます。その勇気とはパレーシアと呼ばれるものです。典型例はソクラテスでしょう。ソクラテスは、死をも恐れることなく、自らの裁判で聴衆に向かって真理を語ったのです。彼自身は死刑になってしまいましたが、でもだからこそ現代にいたるまでソクラテスの勇気ある弁明は語り継がれているのです。

ハラスメントのレッテルを貼られると不利になるので、どうしても泣き寝入りしがちですが、おかしいと思ったときは堂々と戦った方がいいでしょう。その勇気ある行為が、不合理なハラスメントのレッテルを退けるきっかけになるはずです。

④ 電車で迷惑行為を見つけたとき

自分が迷惑行為をするのは言語道断ですが、人がやっているのを見かけることはよくあるでしょう。そんなとき多くの人の脳裏に浮かぶのは、「面倒なことにはかかわらないほうがいい」という言葉です。実際、多くの人はあたかも気づいていないかのようにその迷惑行為を無視します。

でも、本当は心の中に葛藤があるはずです。よほど誰かが傷つけられていたら別でしょうが、そこまでいかないようなケース、たとえば満員電車の中で足を広げて3人分くらいのスペースを使っている高校生がいたとしましょう。カバンまで席に置いて。迷惑行為ですよね。でも、この高校生に注意する人はほとんどいないでしょう。なぜなら、急にキレだすかもしれないからです。

でも、制服を着ている高校生ですから、大人が注意しないのはどうも心がとがめます。これが相手も大人だったらちょっとトラブルになりそうなので、様子を見るのはわかりますが。本来はやはり注意すべきだと思うのです。あとは勇気だけです。それは戦う勇気ではなくて、声を上げる勇気です。それができないのは自分の中の倫理観がバランスを欠いているからです。

行動を起こすためのエートス

そこで参考になるのが、アメリカの哲学者コーネル・ウエストによる行動を起こすためのエートスです。ウエストは、民主主義の活性化という文脈でこれを論じているのですが、あらゆる行動に当てはまるものだと思います。

それは、①ソクラテス的な問いかけ、②予言的な証言、③悲喜劇的な希望の三つです。

①のソクラテス的な問いかけとは、ソクラテスのように問い続けることに献身することだといいます。ソクラテスが哲学の父となり得たのは、その徹底した問いの姿勢にあるからです。おかしいとおもったことは黙っていないその積極的な態度です。

②の予言的な証言というのは少しわかりにくいですが、どの宗教の予言にも、抑圧された人たちへの正義に取り組むべきことが説かれているといいます。何が正しいかはわからないといって言い訳するのではなく、悪に向き合うべきだということです。

③の悲喜劇的な希望とは、どんなに大変でも希望を持って立ち向かえということです。ここではアメリカの黒人の例を挙げています。黒人が自由を求めて闘う中でブルースが生まれたわけですが、あのブルースに備わった強力な感受性こそが、あらゆる人種に開かれた希望の叫びだというのです。ウエスト自身も、自らをブルースマンと称することがありますが、悲劇のような現実の中で、明るく喜劇のような人生を演じることのできる人間だけが行動に出ることができるということです。

子どもたちに誇れる大人の覚悟

ウエストは知識人であり、テレビに頻繁に登場する著名人でもありますが、正しいと思ったときは逮捕されるのも恐れず行動に出ます。そうして何度か逮捕されていますが、誰も彼を犯罪者だなどとは思いません。勇気ある行動をとっているだけなのがわかるからです。ただみんな自分にはできないだけです。

ウエストはいつも黒いタキシードのような正装をしているのですが、これはいつ死んでもいいようにとのことだそうです。それだけ覚悟ができているということです。何を隠そう、前に私が述べた公共性主義の三つの要素は、このウエストの三つのエートスをベースにしたものなのです。

だから私も、もしこんな高校生がいたら、ウエストのようにおかしいと感じ、とにかく悪に目をつぶるわけにはいかないと立ち上がり、希望だけを信じて注意することと思います。結果を怖れていては、何も変わらないからです。これこそが子どもたちに誇れる大人の覚悟なのではないでしょうか。

⑤ 人がいじめられるのを見たとき

教師が同僚をいじめるという事件がありました。大人がいじめるのはもってのほかですが、少なくとも私たちは傍観者になってしまうことがあるのではないでしょうか。いけないとは思うものの、自分が嫌われても困るし、面倒なことに巻き込まれると時間がなくなるしといった計算をするのでしょう。

子どもの場合は、特にいじめている側から自分がターゲットにされるのが怖くて傍観してしまいがちです。あるいは加担するか。でも、大人なのですから、そこを怖れていてはいけないはずです。

何より問題なのは、大人の場合は忙しさを理由に傍観してしまうことでしょう。そんなことを言い訳にしたら、もう何も正しいことはできなくなってしまいます。まだ行動に出る勇気がないほうがましです。なぜなら、勇気さえ出せば止めに入ることができるのですから。

言い訳は不要

よくいわれるように、いじめの傍観者は加害者と同じです。したがって、無視するなどというのはバランスを欠いているといわざるを得ません。では、どうすればいいか？　そこで参考になるのがドイツの哲学者カントの定言命法です。

カントは、正しい行いは無条件でせよといいます。なぜなら、人間は他の動物と違って、条件に左右されることなく自律的に物事の判断ができる存在だからです。それができないのなら、餌を与えられてはじめて行動できる動物と同じだというわけです。動物は餌を与えられたり、叩かれたりしないと行動できないのです。いわば他律的なのです。言い方を換えると、人間だけが自由意志によって物事を自分で判断できるのに対して、他の動物には自由意志などないということになるわけです。

そして、何が正しいかは、みんなが納得することによって決まるといいます。ただし、カントにとって人間は決して手段ではなく、あらゆる物事の最終目的なので、人間の尊厳を傷つけることはいくらみんなが納得しても正しいことにはなりません。

仮に法律によってリンチを正当化する国があったとしても、カントならダメだというでしょう。

そうすると、いじめを止めるというのはみんなが納得する正しいことになるでしょう。ですから、無条件で行わなければならないのです。にもかかわらず時間に余裕があればとか、人から褒められるならなどといった条件をつけて躊躇しているようでは、もはや人間ではありません。

そうとらえることができれば、大人として当然とるべき行動が見えてくるはずです。私たちは犬や猫ではないはずです。正しいことをするのに言い訳は不要なのです。

⑥　バカにされて怒りが収まらないとき

誰しも自尊心があります。ですからバカにされたら腹も立つでしょう。しかしだからといっていちいち相手に食ってかかっていては、いさかいが絶えません。人ともめるのは厄介です。その場だけでは済まなくなるからです。

戦争も裁判もケンカも同じです。やったらやり返す。その繰り返しです。それでエネルギーも時間も浪費してしまうのです。戦の心得を書いた思想書、孫子の『兵法』で一番強調されているのは、実は戦いを避けることです。

それが一番ダメージが少ないからです。できれば戦わない方がいい。これは真理なのです。

では、どうやって戦いを避けるか。相手はコントロールできませんから、自分が怒りを収めるよりほかありません。

自分自身の怒りと戦う

古代ローマの哲学者セネカは、『怒りについて』という論考の中で、怒りとは報復の欲望だと論じています。人は不正なことをされたから、報復したいと思うのです。それが怒りの本質です。しかし、実際に報復すると、またやり返されて、怒りが増すばかりです。

そんな悪循環を防ぐために、セネカは自分の中から生じてくる怒りと戦い、出口を与えないようにせよといいます。人間は感情を持った生き物ですから、怒りが生じてくるのは仕方ないとしても、それと戦うことはできるはずです。

つまり、戦う相手は別の人間ではなく、自分自身の怒りなのです。セネカはこういいます。「人間は相互の助け合いのために生まれた。怒りは破壊のために生まれた」と。人間という存在は、相手を破壊するために生まれてきたのではありません。むしろお互いの怒りが暴走しないように、助け合えばいいのです。

バカにされても、ぐっと我慢すれば、報復の連鎖から自分を助けることになります。相手にとっても同じ事でしょう。そうやってお互い助け合うということです。どちらかが先に我慢すれば、これは可能です。相手にそれを望むことができないなら、自分が先に我慢すればいいのです。順番が先か後かだけの話です。きっと相手も我慢するでしょう。

その我慢が難しいという人もいますが、こう思えばいいのです。それは我慢ではなく、怒りで自分自身や自分の人生を破壊してしまわないための戦術だと。名付けて究極の必殺技、「我慢」。もう誰もかないません。

⑦　マウントをとってくる人がいたとき

最近「マウントをとる」という表現がよく用いられます。格闘技などで上にのっかってパンチできる状態を指します。そうなると圧倒的に優位だからです。そんな言葉が流行るということは、そういう行動をとる人が増えている証拠なのでしょう。

人より優位に立ちたいというのは人間の本能みたいなものですが、最近の現象としてとらえると、その背景には現代人に特有のメンタリティが横たわっているように思えてなりません。それはコンプレックスです。

競争社会というのは、必然的に勝ち負けが明らかになりますから、自分が負けていることを自覚せざるを得ないのです。一時期「負け組」という表現も流行りましたが、これもまた過剰競争時代の副産物といえます。

負け組はまだ負けを認めているわけですからかわいいものですが、マウントを取るというのは、そういう負け組が負けたくないから無理にあがいている姿ともいえます。

その意味で、よりやっかいな気がします。

自分の方が上だというのをあからさまに言葉で表現したり、そういう高圧的な態度で人に接してくるのです。でも、本当に自分の方が上なのならそんなことをする必要はありません。明らかに上の人は、何もしません。周囲の人はみんなそのことをわかっているからです。マウントを取ろうとする人に限って、実態が伴わず、単に強がっているのです。言い換えると、自分のコンプレックスを隠そうと必死になっているのです。だから見苦しいし、嫌われる。明らかにこれはバランスを欠いた態度といわざるを得ないでしょう。

良いコンプレックスと悪いコンプレックス

そこで正しい振る舞いをするためには、個人心理学で有名なアドラーの思想を参考にするといいと思います。アドラーは、悪いコンプレックスと良いコンプレックスを区別しています。悪いコンプレックスとは、他者との比較で自分が劣っていることをマイナスに思う感情です。でも、こんなコンプレックスを抱いても、上には上がいますから、ちっとも幸せにはなれません。

これに対して、良いコンプレックスとは自分の理想に対する劣等感なのです。つまり競争相手は自分なので、頑張れば頑張るほど自分が高まるだけで、失うものはありません。

結局、マウントをとってくる人は、悪いコンプレックスしか持てない人だと思えばいいのです。にもかかわらず、まともに相手をして、自分の方が上になろうなどとしては相手の思うつぼです。それでは自分自身がマウントを取ろうとする哀れな人になってしまいます。むしろ良いコンプレックスを信じて、自分は超然と高みを目指していればいいのです。

⑧ 部下や後輩が叱れないとき

最近はパワハラといわれるのを恐れてか、あるいは封建的な年功序列が薄れているからか、とにかく人をきちんと叱れない人が増えています。大人たるもの、部下や後輩が明らかに間違いをおかせば、びしっと叱る義務があると思うのですが。そういう大人は自分の子どもを叱ることもできません。

叱ることだけが教育でないのはもちろんです。でも、甘やかしているのもまた教育とはいえません。バランスが必要です。褒めることはいいことですが、時には叱らなければならないこともあるはずです。それにあまり叱らないと、自分自身が叱り方がわからなくなってしまいます。

問題はそんな人が本当に腹を立てたときです。論理的に話せばわかるのに、急に怒鳴ったり、ひどい場合には手を出してしまったりするのです。ですから、日ごろからちゃんと叱られるようにしておいたほうが自分のためでもあります。

リーダーたるもの愛されるより恐れられるべき

そこで参考になるのが、イタリアの思想家マキャベリの君主論です。マキャベリは、君主のための心構えを論じているのですが、現代の文脈に置き換えるなら、リーダー論といっていいでしょう。

彼によると、リーダーたるもの、愛されるより恐れられないといけないといいます。

そこまでストレートにいわれるとハッとしますが、たしかに嫌われることを避けて、いつもニコニコしているようではなめられるだけなのです。そして誰もいうことを聞かなくなるのがおちです。

だからといって、ただ怖がられるだけでもダメです。それだけだとやはり人は離れていくでしょう。ここでも大事なのはバランスなのです。マキャベリはライオンの強さと、キツネの狡猾さが必要だといいます。

つまり、ライオンのように怖がられる部分と、ただ恐れられるだけでなく尊敬されたり、相手も叱られたことに納得するような理屈が求められるということです。怖がらせるのと叱るのとは大違いです。

叱るというのは、相手の納得が不可欠なのです。そのためには、理屈が通っていないとだめです。大人の正しい叱り方とは、びっしっと理屈を述べられることにほかなりません。腕力でも迫力でもなく、意外と思考力が勝負なのです。

⑨ 子どもが思い通りにならないとき

自分の子どもが思い通りにならず悩んだことがあるのではないでしょうか。親ならどこかの時点でそうした経験をするものです。それもやむを得ない部分はあります。何しろ生まれてきたときは、子どもは何一つ自分ですることはできないのですから。

親はついつい自分が子どもを育てている、導いていると思ってしまうのです。ところが、子どもは人間ですから、どこかの時点で自我が芽生えてきます。いわゆる赤ちゃんのイヤイヤ期はその最初でしょう。そして反抗期があり、だんだん大人になっていく。ところが、親にはなかなかそれが理解できないのです。毎日接していると、変化に鈍感になるからです。だからある日突然、大きなノーを突き付けられるとショックを受けるのです。「今までは自分のいうことをきいていたのに」とか、「こんな子じゃなかったのに」と。それは自分が気づいていなかっただけです。

小さい頃は子どもを自由に育てる

フランスの哲学者ルソーは、教育論『エミール』の中で、小さい頃は子どもを自由に育てるべきだと説いています。親の思い通りにしようと、あれこれ制限したり、枠にはめてはいけないと。なぜなら習慣から欲求が生じるという本末転倒な人間になってしまうからです。典型的なのは、時間が来たらこれをさせる、あれをさせるというロボットみたいな教育です。あくまでやりたいからするというのが、人間の本来的な姿だというわけです。

現代社会において私たちはまったく逆のことをやってしまっています。将来のためにと、色んな習い事をさせ、本人が嫌がっていても手を引っ張って連れて行く。それどころか、転んだりケガをすることさえ許されません。二言目には、「危ないからやめなさい」といって制限してしまうのです。

そもそも親に将来のことなどわかるのでしょうか？　ルソーの時代でさえ、将来は不確実なので、先見の明なんて不幸の原因だと喝破しています。まったく耳の痛い話です。

結局子どもなんて思い通りにならないものと思っておいたほうがいいのです。親にとっても子どもにとっても。それでもちゃんと子どもは育っていきます。というか、そのほうがちゃんと育ちます。大人になれば分別もついてくるでしょうし、そのときはじめて社会性という枠について話をすればいいのです。これはルソーも同じことをいっています。慌てるとバランスを欠いてしまう点に注意が必要です。自分の教育も、子どもの性格も。

⑩ 他者をうらやましいと思ったとき

人間は嫉妬する生き物です。すべてにおいて人より優れているなどということは考えられませんから、誰しも何かで嫉妬をすることがあるでしょう。でも、隣の芝生が青く見えるたびにイライラしていたのでは、心が落ち着きません。

そこでたいてい私たちは、こんなふうに考えがちです。「きっとあの人も何か問題を抱えているに違いない」と。人の不幸は密の味といいますが、そう考えるとスカッとするからです。でも、はたしてこれはベストな解決方法なのでしょうか？
まずこんな話を聞くと、なんとなく性格が悪いと思ってしまいますよね。それはやはりバランスを欠いているからです。何より、これでは自分の問題は少しも解決できていません。みんな不幸だということで、不幸自慢をしているだけなのですから。

新しい尻尾の生やし方を考える

それよりもっとポジティブに解決したほうがいいように思うのです。イギリスの哲学者ラッセルが『幸福論』の中で不幸自慢をするキツネの話を次のように書いています。

「不幸な人たちは、不眠症の人たちと同様に、いつもそのことを自慢している。もしかすると、彼らの自慢は尻尾を失ったキツネの自慢に似ているかもしれない。もしそうなら、それを治すには新しい尻尾の生やし方を彼らに示してやることだ」と。

人間のワナにかかって尻尾を失ったキツネが、他のキツネたちに対して、尻尾がない方が人間に狙われなくていいと説く姿を批判したものです。そして、みんなで尻尾をなくそうという方向にいくのではなく、むしろ新しい尻尾のはやし方を考えた方がいいというのです。

たとえば嫉妬の場合だと、あることでは負けているけれども、別のことでは誰にも負けないものを持っているとか、そういうものを持てるように努力するということです。尻尾を失ったキツネだって、一生懸命走る練習をして、誰よりも早く走ったり、獲物を捕まえられるようになれば、もう尻尾がないことをコンプレックスに思う必要はないということです。

私たちも同じです。何もかも手に入れるのは元々不可能なのですから、嫉妬している暇があったら、逆に自分が人から嫉妬されるような部分を磨けばいいのです。あるものとないもののバランスを取るといってもいいかもしれません。

⑪ 欲に負けてしまうとき

人間ですから欲があるのは当然です。そのこと自体は否定することではないでしょう。そもそも欲がなかったら人は成長しません。あれがしたい、これがしたいという気持ちがあるから、色んなことにチャレンジし、失敗を通じて強くなっていくのです。心も身体も。問題は欲に負けてしまうことです。

古代ギリシアのストア派の哲学者エピクテトスは、心に平穏がもたらされなかったら何事にも意味がないと説いています。すべての目的は心の平穏なのです。ストア派というのは、もともとストイックという言葉の語源にもなっているグループで、心の平穏を意味するアパテイアを最重要視しています。

だから欲望を捨てよというのですが、必ずしもすべての欲を捨てろということではないと思います。もしそうだとしたら、何もするなというのと同じことになりますから。そうではなくて、自分を苦しめるような欲は捨てよということだと思うのです。

むしろ手に入る欲は欲望とまではいえないでしょう。あくまでニーズです。ニーズだけを求めて生きていれば、人は苦しむことはないのです。それはあたかも欲を飼いならしている状態だといっていいのではないでしょうか。その反対が欲に負けている状態です。

強欲という言葉がありますが、これが欲に負けている状態を表す一番わかりやすい表現でしょう。欲深いといってもいいかもしれません。そんなふうにいわれないうちは、大丈夫です。

欲のバランスシートを作る

では、欲に負けそうになったらどうするか？　頭のバランス力を発揮して、求めすぎていないかチェックすればいいのです。やり方は色々あると思いますが、私が実践しているのは簡単なバランスシートの作成です。といっても経理の話ではありません。欲のバランスを取るためのシートという意味です。

自分が求めているものと、今自分が持っている能力とを左右に分けて書き出すだけのことです。そうすると、この能力あるいはお金では、こんなものは手に入らないというのが視覚化できます。逆に、これくらいなら手に入るというのも見えてきます。

視覚化して自分の欲深さを自覚するというのは大事なことです。欲に負けて負債を負ったり、手に入れられないもののせいで心を悩ます必要がなくなるからです。

⑫ 自分の選択を後悔したとき

私たちは日々選択をして生きています。そうでないと人生を前に進めることはできないからです。簡単に選べるときも難しいときもあります。でも、選ばないといけないのです。その結果悪いことが起これば、後悔することもあるでしょう。

でも、それは結果論です。いくら最善の選択をしても、結果が悪くなることはあるものです。にもかかわらず、人間はその選択を悔いるのです。これはどう考えてもおかしな話です。その選択の時点ではわからなかったのですから。

哲学の世界には決定論という議論があります。運命は決まっているのか、それとも自由意志による選択が可能なのかという話です。運命は決まっているといっても、別に神様が決めているとかそういう宗教めいた話ではなく、あくまで物理の法則をどうとらえるかという問題です。

宇宙が誕生して以来、すべての物事は物理法則に則り変化してきた。そう考えるなら、私たちが今何をしようと、それはもう物理法則の流れの中でこうなることがとうの昔に決まっていたともいえるわけです。地球が誕生し、そこに生命が生まれることが決まっていたように。おそらくこれは自由意志でそうなったわけではないでしょう。

それでも私たちは自由意志によって物事を決めているというかもしれません。ただ、それは自分がそう思っているだけなのです。この予め決まっていたという説を信じるかどうかは別として、そう考えるとあまり後悔しなくて済むのではないでしょうか。どうしようもなかったということになるのですから。

場合によっては反省が必要

自分の選択に後悔ばかりしている人がいますが、これもまたバランスを欠いている状態だといっていいでしょう。もちろん、同じ選択をして、同じ失敗を繰り返しているような場合は話は別です。でも、それでも後悔する必要はありません。その場合は反省すればいいのです。

反省するというのは、一つのバランスの取り方かもしれません。もし自分の選択に何か間違いがあったとしましょう。その結果悪いことが起こってしまった。それはたしかに選択に際して何か至らない部分があったのです。ですから反省がいるでしょう。まったく気にしないというのはバランスを欠いています。

つまり人生の選択に後悔は必要ないけれども、場合によっては反省が必要というのが正しい答えなのではないかと思います。

⑬　仕事がうまくいかないとき

どんなに仕事がうまくいっている人でも、生涯一度もスランプがなかったなどということはないでしょう。というよりも、定期的にスランプが訪れるのが普通です。それは自分のバイオリズムのせいでもあるでしょうし、何より事情が変わったりするとどうしようもない部分があるからです。

そんなときどうするか？　ずっとふさぎ込むのはバランスを欠いています。かといってまったく気にしないのも本当はよくありません。なぜなら成長しないからです。人間はダメなときを自覚するから、次に頑張るのです。その意味では、まったく気にしないというのは一見ポジティブに思えますが、やはりバランスを欠いているといっていいでしょう。

スランプは一時的なもの

そこで参考になるのが、ドイツの哲学者ニーチェの『悦しき知識』にある次の言葉です。少し長いですが、私もよく講演などで引用するいい言葉なので、紹介しておきましょう。

「彼らは無聊（ぶりょう）よりかむしろ喜びのない仕事の方を怖れる。それどころか、彼らの仕事が成功するようになるには、多くの無聊が必要でもある。思想家にとって、またすべての工夫に富む精神の人にとっては、無聊というものは、楽しい航海と快い順風の先触れとなるあの不味い心の「凪」なのである」。

いかがですか？　無聊とはたいくつのことですが、いわばスランプは航海中に風がやみ、凪が訪れるようなものだというのです。ですから、たいくつな時間とは凪にすぎず、またすぐ風が吹き出すから安心せよということです。それどころか、その後吹く凪によって、航海はより順風満帆のものになるだろうとまでいっています。たしかに仕事の場面に置き換えると、多少スランプがあっても、それをうまく活用しさえすれば、以前よりもいい状況に持っていけるはずです。たとえば、スランプのときに次に備えて知識をたくわえておくとか、身体を十分に休ませておくといったようにすれば。

私たちはスランプに陥ったとき、それを凪ととらえることができず、すべての終わりであるかのように感じてしまうのです。まるで暗礁に乗り上げたかのように。それで無駄にあがいたり、あきらめて時間を無駄にしたりします。そうではなくて、スランプは絶対に一時的なものだと信じることさえできれば、もっとポジティブに準備ができるはずなのです。

そしてまたうまく回り出したときに、そのスランプの時に蓄えた知識やエネルギーを一気に爆発させれば、以前よりもいい仕事ができるに決まっています。仕事に暗礁はありません。あるのは凪だけです。そう信じていきましょう！

⑭ 自由になりたいと思ったとき

大人には色々な責任が伴うという話をしました。家族に対する責任、職場での責任、社会的責任、将来世代への責任などたくさんの責任を背負って生きているわけです。でも、時にはそんな責任から逃れて、自由になりたいときもあるでしょう。

中には本当に責任から逃れて消えてしまう人もいます。でも、それはやりすぎです。いくら自由になりたくても、すべての責任を突然放棄して消えてしまうのでは、それまで負ってきた責任も帳消しになってしまいます。いくら身体は自由の身になっても、ずっと後ろめたい気持ちで生きていかなければならないのではないでしょうか。それでは心の中は不自由なままです。

私の周囲にもそういう疲れた中高年が結構います。そういう人たちの夢は、何もかも逃れて南の島で自由になることだそうです。なぜか共通しています。だからといってずっと我慢するのもよくありません。

そこで頭のバランス力を発揮するなら、責任を負いつつ自由になれる状況を作り出すということになるのではないでしょうか。これについてはフランスの哲学者サルトルの実存主義が参考になります。

人間は自ら作るところのものになる

サルトルは、人間は自ら作るところのものになるといいます。つまり、物と違って、人間だけは自分で自分の人生を切り拓いていけるということです。たしかに運命もあるかもしれませんが、少なくともペンが一生ペンのママであるのに対して、人間は赤ちゃんから革命を起こせる英雄にまで進化することが可能なのです。

しかもそれは自分の意志次第だといえます。だから責任を負いつつ、自分が自由になる道も切り拓いていくことはできるはずなのです。自由は待っていても得られませんし、ただ逃れるだけでも得られないのです。

たとえば、家族の理解を得て週に1回はまったく自由になれる日をつくるとか、努力してフリーランスになるとか、何か努力と工夫をすれば今よりは自由を得ることが可能なのではないでしょうか。ぼやいているだけでは大人の振る舞いとはいえません。

ぜひ頭と身体をフル活用してください。

⑮　孤独になったとき

人は一人では生きられないとよくいいます。たしかに人間という漢字には「間」の字がつくように、人は誰かと誰かの間の中ではじめて規定される存在だということもできるでしょう。したがって、一人でいるとどうしても落ち着かないのです。

もし孤独を感じるとしたら、人とのコミュニケーションが足りていない証拠だと思えばいいでしょう。つまりバランスを欠いているのです。ただ、これは単純に量的なものではありません。ほんのたまに誰かとコミュニケーションするだけだとしても、それで十分な人もいます。心の問題はどちらかというと質が大事なのだと思います。

孤独は街にある

その証拠に、毎日大勢と戯れていても孤独を感じる人はいます。いや、むしろ孤独は一人のときより誰かといるときのほうが実感するものなのかもしれません。日本の哲学者三木清は、そんな孤独の本質をうまく表現しています。「孤独は山になく、街にある」と。

つまり、孤独とは自分が求めるにもかかわらず、誰も自分のことをわかってくれない状況だと思うのです。だから三木は、何かに集中すると孤独ではなくなるともいいます。それは決して人でなくてもいいのです。自然でも芸術でもいいでしょう。

孤独だからといって、一緒にいてくれる人を探したり、人の集まるところに行っても何も解決しないのはこれでわかっていただけましたでしょうか。それではむしろ孤独感が増すだけなのです。

ここでの正しい判断は、何かに集中することです。それは自分だけで楽しめる趣味を見つけることでも可能です。客観的には孤独に見えるかもしれませんが、決して寂しくはないはずです。私はそんな孤独をポジティブな孤独と呼んでいます。あるいは、孤高という人もいます。孤高とは超然として、高い理想を求める人のことです。でも、そんなに大げさなものでなくていいと思うのです。もっと気軽に、孤独を楽しむことがあってもいいんじゃないかという次元の話です。

孤独を感じたら、そこから抜け出そうとあがくのではなく、あえてそれをポジティブな孤独に転換するようにしてみることをお勧めします。

⑯ 重い病気になったとき

人間は病気になります。特に重い病気にかかったときには、健康がいかに大事かに気づくものです。たしかに病気になるのは不幸です。誰もが病気にかかりうるとしても、いつどんな病気にかかるかは人によって異なります。若いうちに重い病気にかかったとしたら、それはやはり運が悪いということになるのでしょう。

でも、死なない限り、そこから学べることはたくさんあります。私も経験があるのですが、30歳の頃一度体を壊しました。死も意識しましたが、そのおかげで生まれ変わることができました。健康の大事さに気づいたのはもちろんのこと、懸命に生きることの大事さ、人間の弱さ、他者の思いやりなど、それまで当たり前すぎて見えなかったものが、急に輝いて見えたのを覚えています。

一言でいうと、人生のかけがえなさに気づいたのです。失ってはじめて大事なものがわかるといいますが、重い病気は大事なものを失う前に私たちにそれを気づかせてくれるきっかけになるのです。言い換えると、死を意識させられるので、失うものが見えてくるということです。

死を意識する

ドイツの哲学者ハイデガーはまさにそうやって死を位置づけました。死を意識してはじめて、私たちの人生は輝くのだと。それは決して死を否定的にとらえるのではなく、積極的に生きるための契機にしようとするものなのです。

誤解しないでいただきたいのですが、だからといって私は重い病気にかかったほうがいいなどと主張しているわけではありません。あくまで病気になってしまったときの気持ちの持ち方についてお話ししているわけです。病気になったからといって人生を悔んだり、ふさぎこんでばかりいるのはバランスを欠いた状態です。

急に治るものではないでしょうが、少なくとも病気になったことをプラスにとらえる意識が必要なのではないかと思うのです。

⑰ 失敗をしたとき

ヒューマンエラーという言葉があるように、人間は不完全であるがゆえの過ちを犯してしまう存在なのです。これがＡＩとの違いです。だからＡＩに仕事を奪われるなどという言説が広がっているわけですが、それは必ずしも正しいとは思いません。

失敗から学ぶ

まず人間は失敗から多くのことを学びます。失敗を経験として生かすことができるのです。わかりやすいようにＡＩと比較してお話ししていきましょう。最近のＡＩ技術は深層学習に基づくものですから、ある意味で失敗から学び、より正確な答えを出せるようになっていきます。その点では同じですが、人間は目的とは関係なく多くのことを学ぶ点に違いがあります。

場合によっては、失敗から学ぶことで、もうその行為をやめてしまうということさえあります。これが人間の経験と呼ばれるものです。単に目的に関係する事柄だけを学ぶにすぎないＡＩには、人間の経験はありません。

また、失敗するということは、伸びしろがあるということでもあります。老子はこんなことをいっています。「この道を体得している者は、満ち足りようとはしない。そもそも満ち足りようとしないから、壊れてもまたできあがる」と。この道というのは、老子の説く無為自然の道のことです。無理にあがかない態度といってもいいでしょう。そういう人は完璧になろうとはしないのです。でも、だからこそ失敗しても立ち上がれるということです。完璧な人は打たれ弱いものです。その意味でも失敗するというのはいいことだと思います。

さらに人間は、失敗するがゆえに大成功するという可能性を秘めています。成功ではなく、大成功です。ＡＩのように決められたことだけを正確に行うという存在であれば、成功はしても大成功はないでしょう。つまり、想定外の成功はないということです。

多くの発明や発見は、人間の失敗に基づくものです。失敗したからこそ、意外なことが起こるのです。その結果のすべてが大成功につながるわけではありませんが、少なくとも失敗がなければ大成功は生まれない。これは事実です。

したがって、失敗を悔む必要もなければ、失敗を恐れる必要もありません。そういう態度はバランスを欠いているのです。だからといって、失敗することに無頓着になってしまうのもまた極端です。そうではなくて、失敗をしないように心がけつつも、失敗したときにはそれを受入れる。これが頭のバランス力のある人がとる態度だといっていいでしょう。

⑱ 政治に不満があるとき

「今の政治はダメだ」とか、「政治が悪い」などといったセリフをよく聞きます。特に居酒屋で飲んでいるとそういう話になるのです。不景気なのも自分の仕事がうまくいかないのも全部政治のせい。

いくら政治が悪くても、居酒屋でくだをまいているだけでは何も変わりません。たしかに仕事が忙しくて、自分で政治をするのは不可能でしょう。だからプロの政治家に任せているのです。これが私たちの間接民主制です。

しかし、だからといって文句ばかりいっているのではバランスを欠いているといえるでしょう。間接民主制は何もしなくていいという意味ではありません。あくまで政治家を通じて私たちの意志を実現するところに本質があるのです。

ですから、私たち自身が意志を形成し、またそれを広めたり、政治家に伝えたりする義務があります。何より政治家が自分たちの意志とは異なる方向に向かっているようなときには、自ら方向を正すべく政治を行わなければならないのです。もともとは自分の仕事なのですから。

人間の条件

にもかかわらず、お金を稼ぐためのだけの仕事をしているのは、あまりにバランスを欠いています。その点で参考になるのがドイツ出身の女性哲学者ハンナ・アーレントの思想です。アーレントは、人間の営みを労働、仕事、活動の三つに分けました。

労働とは家事など生きていくのに必要なことを指します。仕事とは外でやる仕事のことです。

この二つは誰でもやっているでしょう。それが忙しい理由です。でも、本当はもう一つ活動というのがあって、これをやらないと人間の条件として欠けているということになるのです。ここでいう活動こそが政治です。でも、狭い意味の政治ではなくて、地域活動や政治に対して自分の意見をいうなど、広い意味での政治ととらえてもらえばいいでしょう。

こういう活動があってはじめて、人は物事を考えるというのです。たしかに家事や仕事のルーティンの中で、あまり物事をちゃんと考える時間はありません。そんな日々を送っていると、世の中が間違っていてもそれに気づかず過ごしてしまうことになりかねないのです。要は批判的精神が失われるということです。

アーレントの脳裏には自らも被害者となったナチスの全体主義があったと思われま

すが、それは決して歴史上の終わってしまったことではなく、いつの時代にも、またどこの国にも起こりうることなのです。だから私たちも政治に対してぼやいているだけでなく、きちんと議論したり、行動したりということをしていかなければならないのです。正しい大人の振る舞いとして、いや人間の条件として。

⑲　福祉のために税金を払いたくないとき

高齢化が進む中、社会保障費はかさむ一方です。消費税もどんどん上がっていきますが、それもこれも社会保障費を補うためです。いくらＡＩが労働を担ってくれる時代が来るとはいうものの、まだまだそこまでいっていません。

一生懸命働いたお金を、見知らぬ高齢者のために拠出することに不満を覚えている人もいるでしょう。自分の親ならいざ知らず。しかし、知らない人だからとか、世話になったわけじゃないからといって税金を払いたくないというのは、大人の責任という観点から問題があります。

そんなことをいうと、責任には原因があるはずだと反論する人がいます。たとえば親としての責任は子どもを産んだことや、子どもを育てることを引き受けた点にあります。事故の責任は事故を起こしたことです。でも、見知らぬ人のために税を払う責任があるのかどうか。

もちろん、国民には納税の義務があります。ただ、その程度がどこまでなのかは議論の余地があるからです。見知らぬ人のために税金を払う義務はどうでしょうか？　その人たちが国民である限り、それはあるといえそうです。お互いに支え合うのが国民ですから。

他者に何かを負っている

でも、どうして同じ国民なら支え合う必要があるのか？　もっというと、税金はODAや人道的支援など海外の人を助けるためにも使われますが、その場合はどう考えるのか？　見知らぬ人や海外の人なんて助ける必要はないというのは、大人としてバランスを欠いているでしょう。そこで参考になるのがフランスの哲学者レヴィナスの倫理に関する議論です。

レヴィナスによると、私たちは他者に対して無限の責任を負っているといいます。それこそが倫理であると。普通私たちはそんなふうには考えません。倫理とは自分が何かを負うべき原因があるときに、その範囲で守らなければならない約束だと思っているはずです。

レヴィナスの理屈も実はそれと同じなのですが、違いは何か具体的な負うべき原因まで求めない点です。つまり私たちはこの世に存在している限り、それだけで他者に何かを負っていると考えるわけです。

たしかに私たちは一人で生きているわけではありませんから、常に誰かのおかげで生きているといえます。もっと抽象的な次元でいうと、他者という存在のおかげで、自分とは誰かが規定できるのです。

そう考えると、見知らぬ人だからとか、海外の人だからなどとはいってられないでしょう。他者である限り、私たちはその人に手を差し伸べる責任があるのです。だからといってなんでもすべきだとは思いませんが、少なくとも税金を払いたくないなどという狭い心は大人の振る舞いとして問題があるといえます。

⑳ 人生が嫌になったとき

人間の心は弱いものです。つらいことが重なったり、疲れすぎていると、心を病んでしまいます。ウツにまではならずとも、凹んだり、人生が嫌になったりすることがあるでしょう。中にはそれが原因で本当に命を絶ってしまったり、引きこもってしまったり、投げやりになってどこかに消えてしまう人もいます。

しかし、そうした態度はあまりに極端でバランスを欠いているといえます。では、どうやって自分の心を守ればいいのか？　そのまま突き進んでしまっては心が弱るばかりです。かといって逃げてしまっては、元に戻るのが大変です。この場合頭のバランス力を働かせるなら、ちょうど間をとって、一時避難すればいいのです。

心の一時避難をする

心の一時避難をすることが、バランスのとれた対応といっていいでしょう。たとえば、思い切って仕事を休んで好きなことをするとか、一人になるとか。忙しいのに、そんなことをすると後で困ると思うかもしれませんが、だから状況が悪化するのです。

一時避難ですから、思い切って断行しなければなりません。嫌になった人生から半分降りて、様子を見るということです。完全に降りてしまうと、それこそ後から困りますが、半分降りるのは問題ありません。

ウツになって急に長期間休むより、まともなうちに1週間ほど休んだ方が、自分のためにも会社のためにもいいでしょう。家族にとってもいいといえます。一人になるというのもそうです。たとえ家族がいたとしても、短期間一人になって心の洗濯をしたほうが、ずっといなくなるよりよっぽどましです。

「月曜日に乾杯！」というフランス映画がありますが、主人公はまさにそうやって心の一時避難をするために、ある月曜日の朝旅に出るのです。仕事にも行かず、家族にも黙って。でも、そのおかげでまた元に戻って来れるのです。そう、旅に出るのが一番お勧めです。

一度に1メートルか2メートルしか行かないような旅

フランスの哲学者アランが『幸福論』の中で旅についてこんなことを書いています。
「ぼくの好きな旅というのは、一度に1メートルか2メートルしか行かないような旅である。立ちどまっては、またあらためて同じものをちがう角度からながめる旅である。ちょっと右か左かに寄って休んでみる、するとすべての景色が一変する、そんなことがしばしばだ。ぼくにはその方が百キロ行くことよりもずっとすばらしい」。

アランのいうように、色んなものをゆっくりと意識して見るように心がけるといいでしょう。そうすれば、別に遠くに行かなくても、気分転換することができるはずです。人生はうまくガス抜きできた人の勝ちです。そうでないとこんな長丁場やってられません。毎日きちんと働き、決められたとおりにできるのはロボットです。私たちは繊細な心を持った人間だということを常に自覚して生きるべきでしょう。

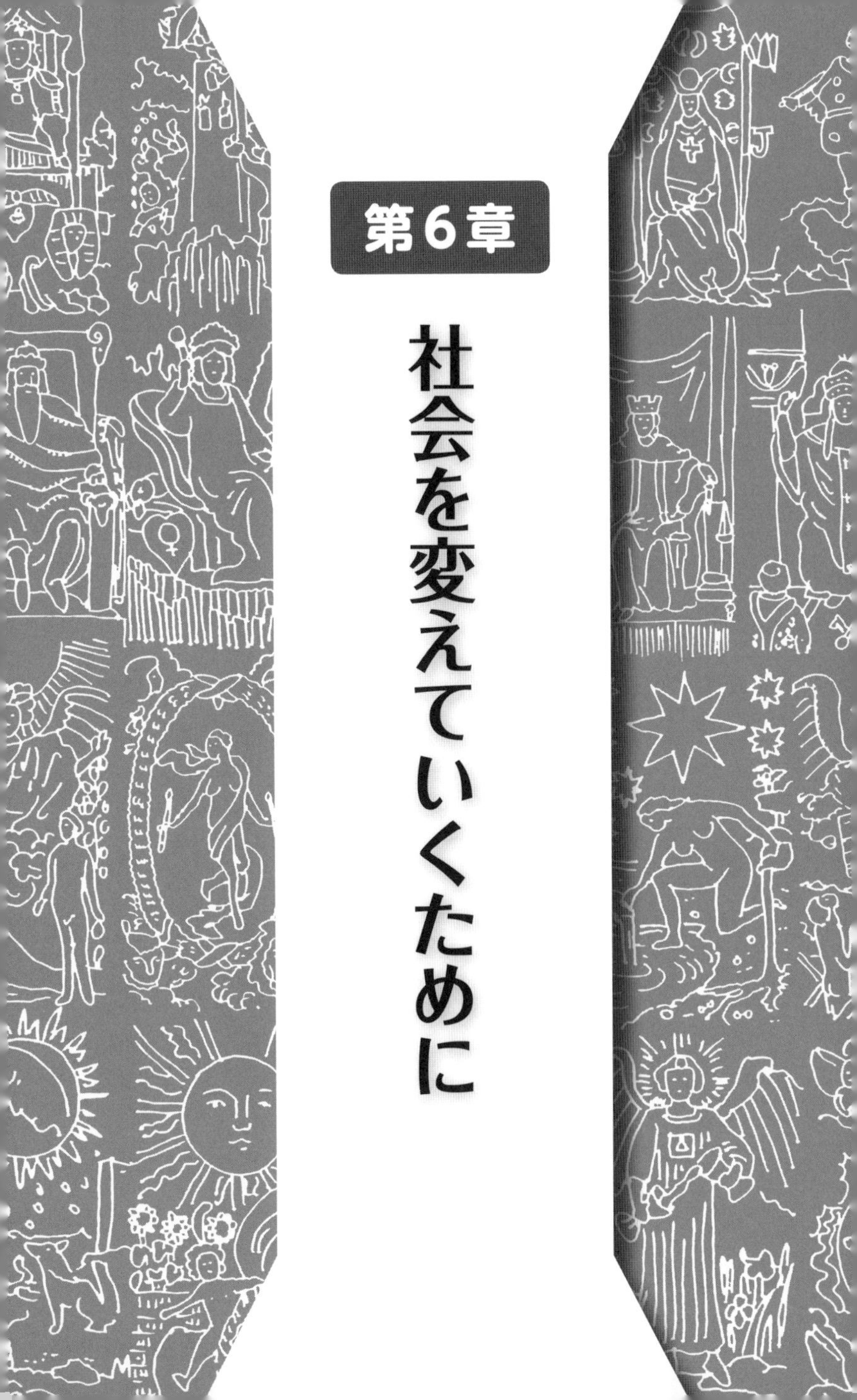

第6章

社会を変えていくために

ここでは、いい教育、いい社会を作っていくために、自分こそが変わり、自分こそが働きかけていかなければならないことを公共哲学の視点から論じていきます。

正しい社会を作る

ここまで、大人はいかに自分を変え、正しい判断をしていかねばならないかという話をしてきました。そしてそのための能力を「頭のバランス力」と呼んできました。最後に、その「頭のバランス力」を活かした大人の正しい判断によって、どう社会を変えていくべきかという話をしておきたいと思います。結局、大人が正しい判断をするということの最終目標は、正しい社会をつくっていくという点にあるからです。
もちろん、直接的には、正しい判断ができる子どもたちを育てるという目標がある
わけですが、その先にあるものはやはり正しい社会を作るということなのだと思いま
す。なぜなら、正しい判断をできるようになった子どもたちが担うのは、社会の構築
にほかならないのですから。

二つの異なる愛

かつて近代ドイツの哲学者ヘーゲルは、家族の目的には二つの異なる愛があると論
じました。一つ目の愛は、子どもを自分のものとして愛することです。もう一つは、
その同じ子どもを社会の成員になる存在として愛することです。この場合、一つ目の
愛は、子どもを自分たちのものとして溺愛する側面であるのに対して、二つ目の愛は、
子どもを社会に送り出し、手放すために厳しく育てる側面だといっていいでしょう。
ここで大切なのは、この二つ目の方の愛です。私たちは日ごろ、自分の子どもが市
民社会の成員になるなどという発想で教育を行っていないのが普通です。だから子ど

もを溺愛するだけで、往々にして間違った育て方をしてしまうのです。その結果わがままな大人を再生産することになるのです。

だから本当は、もう一つの愛が必要なのです。市民社会の成員を育てるための厳しい愛が。そしてさらに、ヘーゲルによると、ほかでもないその市民社会が弁証法的に発展した状態こそが、国家だというのです。つまり、親の教育は立派な国家の担い手を育てる点にあるわけです。

これは決して国家主義などといった陳腐な発想ではなく、より根源的な個人と社会の関係性についての洞察であるといっていいでしょう。一人の人間と共同体が、どういう関係でこの世の中に存在しているのか、その本質を突く鋭い表現なのです。

公共哲学の問題

私はいわばこれは公共哲学の問題だと思っています。公共哲学とは、自分がいかに社会にかかわっていくべきか本質にさかのぼって考える学問です。その際、従来は滅私奉公のような態度が当たり前のように求められてきました。

しかし、個人の人権を重視する今の時代に、滅私奉公のような要求をするのは時代錯誤としかいいようがありません。誰も自分を犠牲にしてまで社会に貢献したいとは思わないでしょう。そこで２０００年代に日本で学者たちが議論して出てきたスローガンが、活私開公です。自分を活かすことで、公けを開く。つまり、ウインウインの関係だといっていいでしょう。

しかし私は、それでもまだ足りないと思っています。なぜなら、活私開公だと自分を活かすことが主になっており、その結果たまたま公けにもプラスになるというふうにもとれるからです。そうではなくて、真の意味でウインウインの関係にするためには、開公活私というふうに逆にする必要があります。公けを開くために私を活かすということです。これなら常に公けを開くことが目的になりますから。

公共性主義

そうした態度を志向するために、近年私は新しい思想を唱えました。それこそ公共性主義にほかなりません。公共性を守り、その価値を上げるための思想です。詳細は拙著『公共性主義とは何か』をご覧いただきたいのですが、ある意味でこれは大人の道徳ともいうべきものなので、その概要を簡単に紹介しておきたいと思います。

公共性主義とは、公共的なものを善であるとして、社会における公共的なものの価値を高めようとする考え及びそのための行動と定義することができます。この場合の公共的なものとは、「私」と他者が共有可能性を有するあらゆる事象を指しています。たとえば公園のように、公共的なものはみんなが使う可能性があるいいものです。ところが、個人のものではないので、皆自分のポケットからお金を出してまでよくしようとはしません。

行政も自分たちが管理するものとはいえ、あくまでそれは予算の範囲内でしかやらないのです。その結果、最初はきれいだった公園も草がぼうぼうに生えたり、老朽化した設備でけがをしたりすることさえあるのです。つまり、公共性は放置しておくと衰退していく運命にあるわけです。その衰退を食い止め、むしろ公共性の価値を上げていこうという主張こそが公共性主義にほかなりません。

人が行動するための三つの条件

とはいえ、重い腰を上げて行動するのはそう簡単ではありません。それに、実際に人が行動するには、次の三つの条件がそろう必要があります。つまり、批判的精神、倫理観、感受性です。そもそも何か問題があるという認識がない限り、人は動きません。だから批判的精神が求められるのです。「なんかおかしい」という疑問です。

ただ、そのおかしいと感じた内容がおかしかったら、行動は間違った方向にいってしまいます。破壊行為や危険な行為などのように。そこで求められるのが倫理観なのです。これは正しい方向性に進むということにほかなりません。前に書いたバランスです。

でも、それだけでは足りません。いくら疑問を持って、正しい方向に進むべきだとわかっても、最後の一押しがないと、行動には移れないのです。それを可能にするのが感受性です。具体的にはその感受性がもたらす情熱の力です。どんな社会運動も、必ず最初は強い情熱を持った一人の人間から始まっています。その情熱が周囲の人たちに火をつけて、大きなムーブメントとなるのです。この三つの条件がそろったときはじめて、人は行動に出るわけです。社会を変えるには具体的な行動が伴わなければなりません。社会は口だけでは変わらないからです。

以下では、「よし、それなら社会を変えてやろう」と思われた方のために、今大人が正しい判断を下さなければならない主要な問題をいくつか例示しておきました。いずれも子どもたちの将来に大きな影響を与えるものばかりです。すでに述べてきたものもありますが、皆さんはどのように判断されるか、再度考えていただきたいと思います。いわば大人の正しい判断を試すための確認テストみたいなものです。

また、これらは将来ある子どもたちの社会のために考えなければならない大問題ばかりなので、どの問題についても現代思想が一定の方向性を示しています。ぜひそうした思想が正しいのかどうかも合わせて、方向性を考えてみてください。

具体的には、次のような10個の問題と思想を検討していきます。①地球環境問題と人新世、②資本主義と加速主義、③貧困や戦争と反出生主義、④排外主義とポピュリズム、⑤宗教対立と宗教のコスモポリタン化、⑥テクノロジーの進化と技術の哲学、⑦インターネットと思弁的実在論、⑧人間拡張とトランスヒューマニズム、⑨ＡＩの台頭とポスト・ヒューマニズム、⑩宇宙開発と宇宙倫理を取り上げます。

①　地球環境問題と人新世

地球環境問題は、もう随分前から大問題とされているのですが、最近ようやく本気で世界が取り組み始めた感があります。現に、2019年に開かれた地球サミットで、初めて首脳級の会議の議題になりました。海洋汚染の原因となっているプラスチックの利用にも意識が向けられたり、地球環境の改善を含むSDGsという地球をよくするための目標にも真剣に向き合っているように思えます。

専門家にいわせると、地球温暖化をはじめもうすでに遅きに失する状態のようですが、それでもまだ地球が滅亡するところまではいっていません。つまりまだ間に合うのです。だからこそ私たちは正しい判断をしなければなりません。

「人新世」＝アントロポセン

そこで共通認識として求められるのは、今地球が本当に危機的状況にあるという点です。その認識なしには、個々人のレベルにまで問題意識が浸透しないからです。その点で期待がかかるのが、「人新世」の概念です。

人新世とは、これまで1万年以上続いてきた完新世が終わり、新たに到来したとされる地質年代のことをいう地質学の用語です。アントロポセンの訳で、直訳すると人類の時代を意味しています。ただ、そんなにいい意味ではなく、人類が地球を破壊し始めた時代ととらえた方がいいでしょう。

もともとは2000年に、ノーベル賞化学者のクルッツェンが提案したとされます。クルッツェンによると、地球システムの作動に及ぼす人間の影響があまりにも巨大になりすぎて、自然の巨大な力に匹敵するほどのものになっているというのです。つまり、二酸化炭素の排出などによって、今や人類が地球のあり方に大きな影響を及ぼす時代に突入しているということです。

今この発想は、地質学や環境の分野だけでなく、思想・哲学をはじめさまざまな領域で、新たな時代を語るための前提になっています。話題になったアニメ映画「天気の子」にさえ「アントロポセン」という語が登場しています。お気づきになったでしょうか？
これからももっと人新世やアントロポセンという語が広まっていけば、私たちの地球環境問題に対する意識も変わってくることでしょう。問題は、そこでどのような判断をしていくかです。ここでもやはり「頭のバランス力」が問われてきます。

環境問題と経済の発展

環境問題は常に経済の発展と天秤にかけられてきたわけですが、どう考えてもこれまでは経済発展を重視しすぎて、バランスが崩れていたといえます。それは私たちが、地球にも限界があること、そして人間の排出する二酸化炭素やプラスチック、あるいは他の有害物質が、ひいては自分自身に戻ってくるという事実にあまりにも無自覚だったことが原因です。

地球の全貌がわからなかった時代ならまだしも、科学によってすでに様々なデータが得られる今、地球が疲弊する姿に想像が至らないのは、まったくもって人間の怠慢としかいいようがありません。

つまり、想像できるはずなのにしなかったのです。いわば問題から目をそらしてきたといってもいいでしょう。したがって、問題を直視しさえすれば、想像力が働き、バランスを取ろうとするはずです。

そのためには、問題に気づいた人たちが、頑張らねばなりません。前に紹介したグレタさんのような子どもの純粋な目は、そのとき大きな役割を果たすことでしょう。その点で、アニメ「天気の子」も商業的成功以上に、重要な意義を有しているのかもしれません。

多くの人たちが、異常気象に関心を持つきっかけになったと思われるからです。奇しくもアニメは子ども向けの純粋な視点を描いたものです。もちろん作品自体は年齢を問わず楽しめるハイレベルなものですが。しかし、そこに純粋な視点があるのは間違いないでしょう。

環境問題に必要なのは、お金に目がくらんだ大人の濁った目ではなく、未来だけを純粋に見つめる子どもの澄んだ目なのです。あまりにもバランスを崩してしまったこの問題に関しては、あたかも泥水に大量の天然水を注ぎ込んで中和するがごとく、かなり環境に配慮する側に偏った視点が求められているように思えてなりません。

②　資本主義と加速主義

２００８年にリーマンショックが起きて以来、強欲資本主義という言葉が人口に膾炙し、なんとなく資本主義のほころびが見えてきたのですが、なかなか世界は変わろうとしません。明らかに成熟社会を迎えた日本でさえ、いまだに経済大国の夢をあきらめきれず、オリンピック、万博という20世紀の成功体験を再現し、また経済成長を目指そうとあがいています。

たしかに社会主義が事実上敗北し、以来資本主義しか選択肢がなくなってしまいました。しかし、それを突き詰めることの問題もまた明らかになったはずです。先の金融危機だけでなく、格差や貧困など、多くの問題が資本主義そのものから生じているのです。

加速主義

にもかかわらず、さらなる資本主義の推進によってそうした問題を解決しようとする考えがいまだに根強いといっていいでしょう。それは思想の世界も例外ではありません。「加速主義」と呼ばれる思想がそれです。つまり、テクノロジーを使って資本主義のプロセスを加速し、その外に出ることを呼びかける立場のことです。

ここ10年ほどの間に急速に台頭してきた思想で、背景には従来の資本主義批判への行き詰まりがあるとされます。たとえば、加速主義の論者は、ＡＩなどのテクノロジーによって労働時間そのものを削減しようと目論みます。そうすれば、格差の問題も貧困問題も解消できるというわけです。しかし、資本主義の本質は、富を生み出し続けるところにあります。とするならば、その歪がなくなることはないでしょう。一番の問題は、人々の心を煽り続ける点にあるからです。

もっと発展させよう、もっと豊かになろうというその気持ちが、人々の心を疲弊させていることに気づかねばなりません。人間は生身の存在です。ＡＩを搭載したようなロボットとは異なります。だから身体だけでなく、心にも限界があるのです。要は疲れるわけです。

現にいくらお金を稼いでいても、精神的に疲れ果てて田舎に隠遁する人はたくさんいます。自然の中でのんびり暮らしたいと。あまりにもバランスを欠いた結果なのでしょう。加速主義の名のもとにこのまま突き進んでいけば、きっと1億総倒れになってもおかしくありません。

みんながバランスを欠いてしまって、バタバタと倒れていくのです。いや、もうそれは始まっているのかもしれません。多くの人たちがウツになり、引きこもり、あるいは自殺しています。私の目には、これが加速の結果潰れてしまったかわいそうな人たちに見えて仕方ありません。

減速主義

したがって、今こそ「頭のバランス力」を発揮し、減速する必要があるのです。私は加速主義に対抗すべく、「減速主義」を唱えています。資本主義を減速させるというだけでなく、私たちのライフスタイルそのものを減速させるという意味です。

奇しくも日本は人生100年時代を迎えようとしています。道のりは長いのですから、急いでも途中で止まってしまっては意味がありません。もっとのんびり、最後まで人生を楽しめるような生き方をすべきです。個人もそうなのですから、社会全体もそうあるべきです。これからの社会の制度設計は、減速主義に基づいて行わなければなりません。バランスを取るために。

③　貧困や戦争と反出生主義

この世の中には、まだまだ多くの問題が残されています。イスラエルの歴史家ハラリは、今や貧困や戦争で死ぬ人より、肥満で死ぬ人の方が増えていると喝破しましたが、それでもまだ貧困や戦争はなくなりません。それが原因で死んでいく人も多くいるのです。

生まれてこないほうが良かった

そこで今、「反出生主義」という思想が広がっています。人間は生まれてこないほうがいいと考える立場のことです。生きていると嫌なことやつらいことの方が多いので、厭世的な考えは誰もが持ちうるものです。だから厭世主義自体は昔からあったといえます。

たとえば、近代ドイツの哲学者ショーペンハウアーの思想です。彼は生への意志が苦悩をもたらすとして、そこから脱却を図るには、生への意志そのものを否定するよりほかないと論じました。

でも、現代の反出生主義は、それをはるかに超えた極端なものです。単に意志を否定して生きるというのではなく、生きること自体を否定しようとするのですから。これは南アフリカの哲学者ベネターの著書『生まれてこないほうが良かった』によって広がった概念です。

ベネターは、道徳的義務として反出生主義を基礎づけようと試みています。つまり、「快楽と苦痛の非対称性」を指摘し、人間が生まれてくると必ず苦痛を経験するなら、人間は必然的に生まれてこないほうがいいということになると論証したのです。

　さらにベネターは、実際のデータを見ても、その結論がいかに正しいかを論じています。毎日約2万人が餓死し、毎年事故によって350万人が死に、2000年には81万5000人が自殺しているじゃないかと。

　だから私たちは、道徳的義務として避妊や人工妊娠中絶をすべきで、段階的に人類を絶滅させていかねばならないとまで主張するのです。もちろん、今生きている人間を絶滅させるという話ではありません。それなら誰も賛同しないでしょう。しかし、長期的に少子化が進み、その結果誰もいなくなるという話なら、痛みを伴うことはありません。

　そこでイギリスでは「反出生主義の党」という政党まで結成されているといいます。反出生主義は、死すべき運命にある人間が抱える普遍的な苦悩に基づいているだけに、今後それが世界的に広がりを見せることも予測されます。はたして私たちはそんな方向に進むべきなのかどうか、大人の判断が試されています。

社会の幸福を増やす努力をする

たしかに一向になくならない絶対的貧困ラインで生活する人たちを見ると、この人たちは生きていて幸せなのだろうかと思ってしまうことはあります。戦争で爆撃され、身体が飛び散るシーンを見ると、人間なんていなくなった方がいいのかもと一瞬思うこともあります。

ただ、だからといって反出生主義の唱えるように、本当に人間が絶滅する方向にあえて持っていくというのは、いかにも極端なような気がします。つまりバランスを欠いているように感じるのです。では、どうすればいいか?

頭のバランス力を働かせるなら、やはりここは一人でも幸せな人を増やし、少しでも社会の幸福を増やすという努力をするのが正解のように思います。一人でも絶対的貧困から解放し、少しでも戦争をなくす。その努力をし続けることが、バランスを取るということなのではないでしょうか。そんなことはこれまでもやってきたという反論があるかもしれませんが、私はそうは思いません。

絶対的貧困から人間を解放し、戦争をなくす努力をしているのはほんの一部の人たちです。多くの人たちは、私も含めそんなことは気にせず日々快適な生活を送ろうと躍起になっているのです。そして皮肉にも、その利己的な行為が世界の貧困や戦争の遠因になっているのです。

もし反出生主義が、そうした私たちの行き過ぎた利己主義に歯止めをかける契機となるならば、それは歓迎すべき思想だといえます。決して実現されてはならない思想だと思いますが、私たちがバランスを取り戻すための気づきになるとしたら、もっと広がった方がいいのかもしれません。

④ 排外主義とポピュリズム

今世界中にポピュリズムの嵐が巻き起こっています。アメリカのトランプ大統領はその象徴的存在ですが、実はヨーロッパにはたくさんのポピュリズムの政党が登場し、実際トランプのようなポピュリストがリーダーになっているのです。イタリア、チェコ、オーストリア、ハンガリーなど。フランスやドイツといった大国でもポピュリズム政党は勢力を伸ばしつつあります。もちろんアジアも例外ではありません。過激な発言と政策で有名なフィリピンのドゥテルテ大統領のように。

ポピュリズムとは

「ポピュリズム」とは、大衆迎合主義とも訳される通り、政治が大衆に迎合しようとする態度を指します。もっとも、実際には民衆のいうことを聞くのではなく、民衆から共感を得るようなレトリックを駆使することで、逆に政治家自らが望む変革を実現するカリスマ的な政治スタイルであるといっていいでしょう。

民衆の側に不満が生じてくると、その不満を代弁するかのように、ポピュリスト政治家が現れるのです。たとえば、移民や難民に対する不満、イスラームに対する不満など。だからヨーロッパに多いわけですが、経済に関する不満はどの国にもあるので、それを外国製品のせいにしだすと、ポピュリズムが幅を利かせ始めるのです。自分の国を第一に考え、保護主義、排外主義を唱えるというように。

そうなると人々は自分たちの不満を代弁してくれる政治家に熱狂し、その政治家は他の声には耳を貸さなくなります。そこが危険な部分なのです。そのためポピュリズムは、民主主義が機能不全に陥っていることの警告としてとらえられます。

ドイツ出身の政治思想家ヤン＝ヴェルナー・ミュラーによると、ポピュリズムとは、人々がもつ特定の道徳に基づく政治のイメージを、エリートによる政治と対置させる反エリート主義的なものだといいます。したがってポピュリストたちは、反エリート主義者たちのニーズに合うような、口当たりのいい物語を提示するのです。あたかも単一の共通善が存在するかのように。しかし、もし本当にそのような共通善が存在するなら、もはや人々の政治参加は必要なくなってしまいます。

だからポピュリストたちは、エリート退治は自分に任せておけという傲慢な態度をとることが許されてしまうのです。トランプ大統領のように。その結果、極端な保護主義や排外主義が横行し、国内外のバランスが崩れていきます。

ポピュリズムの本質は反多元主義

現代の世の中は多様な人たちから成っています。にもかかわらず一つの考え方を押し付けるというのは、あまりにバランスを欠いているのです。だから反発も生じますし、社会の分裂も起こります。場合によってはそれがテロの原因になったりするのです。

日本においてもこうした問題は決して対岸の火事ではありません。ややもすると国内の不満は外国に対する批判へと振り向けられがちです。それがポピュリズムへの第一歩であることは間違いないでしょう。

そこで頭のバランス力を働かせ、予めそうした風潮を予防する必要があります。前述のミュラーは、多元的な意見を認める社会をつくることがポピュリズムを防ぐと考えています。ポピュリズムの本質は反多元主義だからです。しがたって、可能な限り多様な声に耳を傾ける風潮や仕組みをつくることです。

その点では、最近の日本は表現の自由を自ら制限する風潮にあるように思えてなりません。そこには様々な理由があるのでしょうが、一般に権力が大きな力を持ちすぎると、権力批判を控える傾向が出てきます。あるいは、権利意識が高まりすぎると、他者を批判することに臆病になりがちです。近年のハラスメントへの過敏なまでの反応のように。あるいは愛知県で開催された「表現の不自由展」をめぐる一連の騒動もその延長線上にあるのかもしれません。

もっとオープンに議論する

だからといって私は、ヘイトスピーチのように何をいってもいいとか、インターネット上での無制約な表現の自由を認めようなどと極端なことをいうつもりはありません。それではまたバランスを欠いてしまうからです。

ある意味でこうしたネットを中心とした過激な表現の表出は、社会において表現の自由が制約されていることの裏返しなのかもしれません。ですから、私たちがすべきなのは、日ごろから表現の自由とその制約である公共の福祉の関係を、もっとオープンに議論することだと思います。表現の自由は人間に保障された権利の中でも最重要なものだといっていいでしょう。にもかかわらず、日ごろ私たちはその権利について議論したり、その制約である公共の福祉の中身について議論することはほとんどないのです。

追求しているのは経済的な権利ばかりです。そうした議論の中から、いったいどこに線を引くべきか、つまりどうバランスをとるべきかというラインも見えてくるはずです。

⑤ 宗教対立と宗教のコスモポリタン化

戦争やテロ、あるいは移民排斥運動といった諸問題に共通する背景として、宗教対立が挙げられます。21世紀の今、世界では宗教対立が大きな問題となっているのです。グローバル社会に生きる私たちにとっても、それは決して他人事ではありません。

「脱魔術化」から「再魔術化」へ

そんな新しい宗教の時代は「再魔術化」と呼ばれることがあります。これはかつて社会学者のマックス・ウェーバーが、キリスト教支配が終焉した後の近代を「脱魔術化」と表現したことに由来します。実際、ヨーロッパ社会は近代以降、世俗化の方向に向かったかのように見えました。

ところが、グローバル化が進展する21世紀の今、再度魔術化が起こっているというわけです。たしかにヨーロッパのキリスト教徒は減っていますが、その代わりイスラム教徒が増えています。そしてキリスト教徒についても、アフリカを中心に信者が増えています。つまり、全体として世界は再び宗教の時代になりつつあるのです。

極端なことをいうと、ある日突然どこかの国がイスラム系の国になる可能性だってあるのです。そうすると、日本の企業にとってもビジネス環境がガラッと変わってしまいます。最大の問題は、宗教が政治と結びつくとき、必ず対立が生じる点です。

こうした事態にいかに対処していくべきか。これに関して、ドイツの社会学者ウルリッヒ・ベックは、『〈私〉だけの神』の中で、宗教のコスモポリタン化を提案しています。つまり、世界中の誰もが、どこかの国民ではなく一人のコスモポリタンとしてのアイデンティティを持つように、宗教においても自分だけの神を持てばいいということです。そうすれば、集団同士の対立はなくなります。

これはたしかにその通りなのですが、問題はどうやってそれを実現するかです。宗教集団に属する人たちに、自ら納得してそうした選択をしてもらうのは容易ではありません。ベックは、グローバル化のもたらす個人化がそれを可能にするというのですが、現実は反対で、だからこそ人々は宗教でつながるようになっているのです。

お互いが歩み寄るほかない

そこで、宗教集団の存在を前提として解決を模索するとするならば、ドイツの哲学者ユルゲン・ハーバーマスが『公共圏に挑戦する宗教』の中の論考で述べているように、宗教的市民と非宗教的市民が共に歩み寄る必要が出てきます。具体的にハーバーマスが唱えるのは、両者が共に理性を公共的に使用することで、多元主義型市民社会の熟議政治を活発にすることです。

そのために彼は、宗教の側も人権という道徳律を宗教と両立させるよう配慮し、世俗的市民の側も、そうした道徳律がもともとは宗教に由来するものであることに目を向けるなど、両者が補い合う形で学習プロセスを営んでいかなければならないと主張するのです。

どんな対立もそうですが、その解消にはお互いが歩み寄るよりほかありません。これはバランスを取るための一つの方法論ともいえます。どのへんまで互いに歩み寄ればバランスが取れるのか。とりわけ宗教対立における歩み寄りは、今後益々グローバル化する日本にとって、今から考えておくべき大きな課題だといえるでしょう。

⑥ テクノロジーの進化と技術の哲学

21世紀はテクノロジーの時代といっても過言ではありません。インターネット、バイオテクノロジー、ＡＩ、宇宙関連の技術等。いずれも世の中を大きく変える可能性のある技術のオンパレードです。ここでは個々のテクノロジーについてではなく、まとめてそもそもテクノロジーをどうすべきかという問題について考えてみたいと思います。

技術とは何か

そもそもテクノロジー、つまり技術とは何なのでしょうか。言うまでもなくそれは、人間が何かを生み出す力がカタチになったものです。その本質を明らかにしたのが、日本の哲学者三木清の『構想力の論理』です。構想力とは、ロゴス（論理的な言葉）とパトス（感情）の根源にあって、両者を統一し、形をつくる働きだといいます。

もともと「構想力」というアイデア自体は、近代ドイツの哲学者、イマヌエル・カントに由来します。カントは『純粋理性批判』において、あらゆる概念を認識するのに役立つ図式というものを見出しています。図式が形象を可能にし、その形象から概念が出てくるのです。こうした意味での図式を生み出すのが構想力にほかなりません。

カントは『判断力批判』の中で、天才が構想力によって新たな図式を創造するといっているのですが、三木はこのカントの設定した制約を越え、独自の解釈によって天才の構想力を人間全般の能力にまで拡張しました。なぜなら、人間は皆、日々新たな形を創造しているからです。

こうした構想力によって形をつくる存在としての人間像は、三木によると人間と動物の違いに起因します。つまり、動物と違って、人間は外部の環境に合わせるのではなく、構想力によってその形を変えてしまおうとするわけです。その人間の主体と環境とを結びつける働きが「技術」だというのです。

技術は人間のあり方を規定する

人間にはそうした意味での技術という素晴らしい能力があるからこそ、21世紀、ついに人間の能力を超えるほどの存在を生み出すまでに至ったのです。では、この先技術はどうなっていくのか？　そこで参考になるのが、ドイツの現代思想家マルティン・ハイデガーによる『技術への問い』の議論です。

この本は、戦後、彼が行った技術に関するいくつかの講演をまとめたものなのですが、福島第一原発の事故がきっかけで、いま改めて注目されています。一言でいうと、技術の本質に着目することによって、人間とはどのような存在なのか、人間と世界とのかかわりとはどういったものなのか考察しようと試みた労作です。

最初にも指摘したように、技術が発展していくにつれ、人間が技術を使っているというよりは、技術によって人間が特定の行動に駆り立てられているような気がしてきます。いわばテクノロジーという人間にとってみずからの活動の産物に思えるものが、逆に人間の存在を拘束し、そのあり方を規定しているのです。

ハイデガーはそれを「ゲシュテル」という造語で表現しています。日本語では「総駆り立て体制」などと訳されています。つまり、いつの間にか私たちの存在のすべてが、技術の発展に巻き込まれてしまっていることを批判するのです。

ハイデガーは、ある意味、人間のそんな様子を哀れんで描写しているように感じます。どんどん技術が先に発展して、人間がそれに対してあたふたと対応しようとしている姿です。たとえるなら、かわいい猫だと思って飼っていたつもりが、実はそれは虎の赤ちゃんで、猛獣になった姿に手を焼いている哀れな様子です。しかし、本当にそうなのでしょうか？

人間は技術に支配されてきた

ここで思い出すのが、フランスの現代思想家ベルナール・スティグレールによる新しい技術論です。スティグレールによると、これまでの学問は、ギリシア哲学の伝統に従い、形而上学と技術を分けたうえで、技術を下位に位置づけてきました。技術はあたかも精神的営みのシモベであるかのように。

ところが、よく考えてみると、私たちの文明は、技術によってこそ形成されてきたのであって、それなしには未だに猿のような生活を強いられていたはずです。そこからスティグレールは、技術こそが人間と文化を作り上げてきたとして、技術を主にとらえ直そうとするのです。まさに逆転の発想なのですが、ハイデガーが指摘した総駆り立て体制をうまく説明するものでもあります。私たちは技術を支配しているかのように思っていただけで、実際には最初から技術に支配されてきたと考えることが可能になりますから。

この結論は、開き直りのように聞こえるかもしれませんが、決してそうではありません。結局、人間に技術を飼いならすことなどできないという認識をすることではじめて、私たちはより謙虚になれるように思うのです。これがまさにバランス力です。

なんでもコントロールできるという思い上がりが、原発の事故を招いたのは周知の通りです。とするならば、むしろそうした思い上がりを捨て、もっと誠実に技術に向き合うべきではないでしょうか。そうすることによって、技術を飼いならすことまではできなくても、少なくとも技術という猛獣と共存していくことはできるように思うのです。

⑦ インターネットと思弁的実在論

インターネットは今後もインフラとして私たちの生活の役に立つと同時に、また私たちの生活を脅かす存在であり続けるでしょう。インターネットの恩恵についてはいうまでもないでしょうが、実際犯罪の温床になったり、ヘイトスピーチが横行したり、子どもたちの時間を奪ったりという問題も見逃せません。

そんなインターネットに対する私たちの考え方をはっきりさせておく必要があるでしょう。そのためにも、そもそもインターネットとは何なのか、その本質について考えてみましょう。私自身は、偶然性とモノをキーワードとしてとらえることができるように思っています。というのも、インターネットの世界では無数の情報が行き交っているため、偶然が新しい価値を生み出す可能性が高くなっているからです。もちろん先ほど述べたように、悪いことが起こる可能性も高くなっているわけですが。

また、ＩｏＴ（モノのインターネット）に象徴されるように、あらゆるものがインターネットに接続され、モノが単なるモノではなくなり、あたかもこの世の一つのアクターであるかのように新たな存在意義を持ち始めているからです。

思弁的実在論

そんな偶然性とモノに支配されるインターネットの世界。今、その現象を深く考えるのに最適の哲学が誕生しています。ここ10年ほどの間に急速に哲学の世界で広がりつつある思弁的実在論がそれです。

この新しい哲学の潮流は、一人の哲学者だけでなく、それぞれ少しずつ主張は異なるものの、複数の哲学者たちによって形成されています。とりわけその先駆者とされるのは、フランスの哲学者カンタン・メイヤスーと、その紹介者であるアメリカのグレアム・ハーマンだといっていいでしょう。メイヤスーは偶然性の時代を象徴する思弁的実在論を唱え、ハーマンはモノの時代を象徴するオブジェクト指向存在論（通称

OOO）を唱えています。それぞれ簡単に紹介していきたいと思います。

メイヤスーの思弁的実在論

まずメイヤスーの思弁的実在論からいきましょう。メイヤスーは、主著『有限性の後で』の中で、相関主義を批判します。相関主義というのは、物事は人間との相関的な関係によってのみ存在しうるという考え方です。つまり、人間に見えるからそこに存在するとか、人間にとって硬いから硬いんだというような発想です。すべての物事を人間中心に考えるとらえ方といってもいいでしょう。

哲学の世界では、長らくこの相関主義を前提としてきました。ところが、メイヤスーはその前提に異議を投げかけたのです。では、相関主義を抜け出るとすれば、いったいどんな方向にいけばいいのか？　ここでメイヤスーは、むしろ相関主義を徹底することによって、解決を図ろうとしました。

人間中心に考える相関主義を徹底すると、人間には思考不可能な部分というのが必ず出てきます。そうすると、この世の中には人間の知らない部分が存在することになります。もしかしたらこの世界も今あるような形ではなくなってしまう可能性もあるのです。いわばこの世界がまったく偶然的に別の世界に変化する可能性があるということです。こうして「偶然性の必然性」ともいうべき事態が生じることになるのです。偶然性の必然性というのは、この世界は偶然に支配されているということにほかなりません。ですから、ある瞬間にすべてがまったく変わってしまう可能性だってあるのです。そんなことをいうと、これまでずっと世界が継続してきたことをどう説明するのかと反論する人もいるでしょう。

同じサイコロの目が何万年も偶然に出るわけがないという確率論です。これに対してメイヤスーは、確率論自体がすでに偶然の必然性という枠の外にあると批判します。かくして世界は、避けることのできない偶然性にさらされることになるわけです。

ハーマンの思弁的実在論

次にハーマンのOOOを見ていきましょう。ハーマンもまた相関主義を批判します。この点はおおむね思弁的転回の潮流に分類される哲学者たちに共通しています。ハーマンの場合、そこからモノだけの世界を想定するところに特徴があります。

ありとあらゆる対象を等しく同じ資格で扱おうとするのです。モノは人間とは独立に存在している。しかも、モノとモノの間にも何の関係もない。そういう世界像を描いているわけです。たしかに現代の物理学に依拠すれば、そのへんの小石だって量子のレベルでは常にエネルギーの変化を起こしているのですから、人間とは別の次元で生きているといえなくもありません。

先ほどＩｏＴの話をしましたが、たとえば自分の持ち物がすべてネットにつながっていれば、まるですべてがペットのように思えてくるのではないでしょうか。家で留守番をしている家電製品たちはちゃんと働いているかなと。なんにでもＡＩが搭載されるようになると、さらにその感覚は増すでしょう。ＯＯＯはそうしたＩｏＴ時代のモノとの付き合いを理解するのに役立つといえそうです。

インターネットとの付き合い方

思弁的実在論の潮流からも明らかになったインターネットの本質、つまり偶然性とモノの世界という視点に鑑みて、はたして私たちはインターネットとどう付き合っていけばいいのか。頭のバランス力を働かせるなら、やはりほどほどの付き合いにしておくべきということになるように思います。

なぜなら、偶然性ほど不安定で怖いものはありませんし、モノの世界は人間の世界とは対極にあるものですから。これまでとはことなるそうした性質のおかげで面白いことが起こっているのはたしかです。でも、それにどっぷりつかり過ぎたとき、バランスが欠けて問題が生じるのではないでしょうか。なんでもインターネットの時代です。個人的にはここらでそろそろという感じがしているのですが、皆さんのバランス感覚はいかがでしょうか?

⑧ 人間拡張とトランスヒューマニズム

最近「人間拡張」という言葉を新聞等で目にするようになりました。文字通り人間の能力をテクノロジーによって拡張するというものです。身体拡張という場合もありますが、単に身体だけでなく、心もということなのでしょう。ただ、ここでは身体に着目してみたいと思います。

人間は身体を持った存在

当たり前ですが、人間は身体を持った存在です。身体を動かしているのは意識かもしれませんが、意識は見えません。どこにあるかもわかっていません。その意味で、この世界において物理的に存在しているのは、身体のみなのです。ところが、哲学の世界では身体をあまりにも軽視してきました。

その元凶はフランスの哲学者デカルトにあるといわれます。彼は心身二元論を唱え、意識の意義を重視するあまり、身体は他の物と同じ単なる延長にすぎないと主張したのです。以後、それが哲学の世界では身体論のスタンダードになってしまいました。哲学の世界だけではありません。人々は、あらゆる分野で身体の重要性をないがしろにしてきたのです。だから平気で身体を酷使できたのでしょう。それが原因でうつになったり、過労死したりしているにもかかわらず。

ようやく私たちが身体の意義に着目し始めたのは、現代になってからです。初めて身体を本格的に哲学の主題に据えた思想家は、フランスのメルロ・ポンティだといわれます。彼は意識と世界をつなぐインターフェイスとして身体をとらえました。

ということは、身体が進化すれば、世界が変わるということを意味します。実際、人間は身体を進化させ続けてきました。より優れた身体になるように。そうした思想を優生思想といいます。悪名高いのは優れた生であることを強制するナチスの思想ですが、それだけではなく、自分から進んで進化することを説くリベラルな優生思想もあります。スポーツの世界におけるエンハンスメントはその一つだといっていいでしょう。身体改造したり、薬物を使ったりして、身体能力を増強するのです。

トランスヒューマニズム

こうした傾向には批判はあるものの、今や必然的に私たちは日々身体を増強していますす。それは医療の発達によるものです。そこで、スウェーデン出身の哲学者ニック・ボストロムは、トランスヒューマニズム（人間超越主義）を掲げました。彼は世界トランスヒューマニスト協会を創設し、この分野の議論を牽引している人物です。

今や私たちは、科学によって身体能力を飛躍的に拡張する可能性を持つようになりました。したがって、みんなが進化するなら、何も悪くないはずだというわけです。たしかに、医療を批判する人はいないでしょう。現代社会においては、その延長線上に身体の進化を位置づけることができるのです。

そこで私たちが考えなければならないのは、身体の進化に伴って立ち現れる新しい世界との対峙の仕方だということになります。今の潮流がバランスを欠いた方向に進んでいないか検証が必要だということです。

これについてボストロムは、「トランスヒューマニストの価値」という論文の中で、トランスヒューマニズムのプロジェクトを実現させるために、次の三つの基本的条件が必要だといっています。

一つ目はグローバル・セキュリティです。具体的には、もともと地球にあった知的生命、つまり人間の存在の危機だけは避けなければならないということです。

二つ目は、自明のことながら科学の進歩です。しかもそれは経済成長と深く結びついているといいます。

そして三つ目は、広いアクセスです。トランスヒューマニストの価値にとっては、誰もがポストヒューマンになれることが重要なのです。それこそが、トランスヒューマニストの価値における道徳的切迫性の基礎になるといいます。つまり、国籍や経済的状況にかかわらず、誰もがポストヒューマンになれる機会が与えられる必要があり、そのためには広いアクセスが不可欠だということです。

トランスヒューマンが当たり前の時代になるまで、まだもう少し時間があります。これが新たな優生思想にならないようにするためにも、私たちは議論を尽くし、万全の体制を整えておかなければならないのです。人間の身体の未来を明るいものにするか、暗いものにしてしまうかは、私たちのバランス感覚に委ねられています。

⑨ AIの台頭とポスト・ヒューマニズム

ずっとテクノロジーの話をしてきましたが、21世紀の主役はなんといってもＡＩでしょう。実際、毎日のようにＡＩに関するニュースを目にします。アメリカの未来学者レイ・カーツワイルは、２０４５年にＡＩが人間の能力を超えるシンギュラリティが到来し、人間はＡＩと融合するといいます。あるいは、イスラエルの歴史家ユヴァル・ノア・ハラリは、人間が神のような存在になるホモ・デウスが登場するといいます。

いずれの主張にも共通しているのは、もはや人間が今の状態ではなく、ＡＩと融合したような存在になるということです。つまり私たちは、この生身の身体や思考する能力を捨て、あたかもコンピューターを搭載したロボットのような存在に進化しようとしているわけです。

どこまでそれが実現するかはわかりませんが、身体にコンピューターを埋め込むような人間拡張は、すでに始まりつつあります。そうした潮流に合わせて、思想の世界でも「ポスト・ヒューマニティーズ」が論じられるようになっています。

人間が人間ではない社会

人間が今の人間ではなくなってしまう社会。もちろんそれはより長生きできたり、より能力を発揮できる存在になるという点では喜ばしいことなのでしょう。しかし他方で、ゲノム編集に見られるように、生まれてくる人間を予めデザインしたり、選別したりするという危険性もはらんでいるのです。ひいてはそれが優生思想につながったり、新たな差別を生み出す可能性もあります。

何より、データに従って生きる人間は、はたして人間といっていいのかどうか。私たちの運命は自分自身で切り開くものではなかったのでしょうか。たとえば、今はなんともないのに、データからすると将来ガンになる可能性があるから手足を切断しましょうなどという方針に従えるかどうか。それが正しいのかどうか。

皆さんの頭のバランス力はどう反応するでしょうか？　もうすでにこうしたデータ至上主義は幅を利かせ始めています。ハリウッド女優のアンジェリーナ・ジョリーがそうして乳房を切除したニュースは世界を駆け巡りました。

もちろんこれは確率の問題です。しかし、こうしたデータ至上主義もまた行き過ぎて世の中のバランスを崩し始めているように思えてならないのです。人間にはデータを超えて、やりたいことや正しいと信じることがあるのです。それを押し通せる余地だけは残さなければなりません。でないと私たちはただのコンピューターのシモベに成り下がってしまうからです。

今の大人がそうした正しい判断をしておかないと、これからの子どもたちは恐ろしい時代を生きることになってしまうでしょう。その選択は私たちの手に委ねられているのです。

⑩　宇宙開発と宇宙倫理

最後に少し壮大な話題を挙げておきます。宇宙開発です。人間の欲望は尽きることはありません。少し前まではＳＦの世界の話だった宇宙開発が、今や現実のものとなっているのです。人間は何も考えずに地球を開発し続けて、ついに手遅れ寸前のところまできています。

同じ轍を踏まないように、今から宇宙をどうするかについて考えておくことは、決して馬鹿げたことではないのです。実際、倫理学の世界では宇宙倫理の研究が始まっていますから。もちろんその議論のスピードは、宇宙開発のそれには遠く及ばないわけですが。

宇宙ステーションの建造、宇宙探査、ニュースペースと呼ばれる宇宙ビジネスの進展は、まさに日進月歩です。とりわけ宇宙ビジネスについては、政府も宇宙産業ビジョン２０３０を策定し、他国に後れを取らないように企業をバックアップしようと努めています。

多くの人が宇宙ビジネスに携わる可能性がある

宇宙というと壮大なイメージがあるので、政府や大企業だけが関係しているかのようにも思いますが、決してそんなことはありません。下町ロケットのように高度な技術を持った中小企業が、ロケットや衛星の部品供給などで大いにかかわっています。中にはロケットを飛ばすのに成功したベンチャー企業もあります。

その意味で、これからは多くの人たちが宇宙ビジネスに携わる可能性があるわけです。そこで問題となってくるのが、倫理です。多くの人がかかわればかかわるほど、そこには利害対立が生じてきます。そうしたトラブルを未然に防ぐのが倫理の役割です。とりわけ宇宙には世界中の企業や個人がかかわるわけですから、それらを共通の法律で制御するのは困難です。むしろ一人ひとりが倫理観を持って宇宙とかかわっていく方が現実的といえるでしょう。

そこで先ほど紹介した宇宙倫理の研究の名のもとに、共通ルールの策定を模索する動きが始まっています。つまり、宇宙倫理とは、宇宙と人間とのかかわりの中で生じる諸問題を倫理的側面から考察しようとするものです。

宇宙の開発においては、すでにスペースデブリの処置に関する責任の問題や、所有権の問題、宇宙ビジネスにおける企業の責任の問題、さらには宇宙空間の軍事利用の是非をめぐる問題等、様々な問題を生み出しています。

その点で、早くから具体的な宇宙倫理規約のようなものを提案しているのが、アメリカのビジネスコンサルタント、デヴィッド・リビングストンです。彼は、宇宙におけるビジネスでも、従来のビジネスと同じように誠実さや公正さを求めると同時に、特に将来世代に配慮することを強調しています。宇宙開発の影響を受けるのは、良くも悪くもこれからの世代だからです。

宇宙は地球の延長線上にある

さらに注目されるのは、宇宙倫理が地球そのものにも利すると考えている点です。本来宇宙開発は、地球に住む人間のためにこそあるからです。その意味で、宇宙倫理のもう一つの目的は、実は地球のかけがえなさを見つめ直し、環境倫理などについて再考するきっかけを与えてくれる点にあるといっていいでしょう。

したがって、宇宙倫理について考える際には、あくまでそれは地球の延長線上にあるという現実を意識しながら、宇宙開発や宇宙ビジネスが地球に与える影響を考慮した規定を策定していく必要があるでしょう。宇宙を開発することで、地球に悪影響を与えるようなことになってしまっては本末転倒だからです。

幸い宇宙はまだそこまで破壊されていません。今こそ倫理の本来の意義である問題の未然の防止を実現する必要があります。そのために役立つのは、私たちが地球で実践してきたあらゆる倫理にほかならないでしょう。物事のバランスを取るときには、他の事例におけるバランスの取り方を大いに参考にすればいいのです。

宇宙という新たな世界は、決して高度な技術という人類の英知だけでなく、環境倫理や職業倫理、技術者倫理、生命倫理といったすべての人類の英知を待ち望んでいるのです。

おわりに
未来は子どもにではなく、あなたに託されている

本書を読まれて、皆さんはどんな感想をお持ちでしょうか？　荷が重い？　厳しい？　その通りかもしれません。でも、未来は子どもに託されているわけではないのです。未来の子どもを育てているのは私たち大人です。ということは、未来は私たちに託されているのです。

まずそのことを自覚する必要があると思うのです。これが私が一番いいたかったことです。それさえ自覚できれば、正しさをどう判断するかといった話はある意味で技術的な問題になってきます。それにもっと積極的に考えるようになるでしょう。

自分が生きている時代に満足する人はいないはずです。どんな時代にもなんらかの問題がありますから。しかもどうしようもない大きな問題が。現代でいうなら、戦争や貧困に加え、環境問題や福祉、エネルギー、さらには教育の問題まで。もう問題山

積みです。

だからどうしても自分たちではどうすることもできないとあきらめがちなのです。そして次の世代に問題を先送りしてしまいます。でも、きちんと教育していない子どもたちに問題を先送りしても、解決するわけがありません。逆に問題が大きくなるのがおちです。

このへんで腹をくくる必要があります。大人が正しく生きるということは、責任を引き受けることであると書きました。ここであきらめずに、すべての難題に向き合い、正しい判断をくだす。それは簡単ではありませんが、本書で哲学の方法論を学ばれた皆さんにならできるはずです。

いや、こういう他人事のような書き方が問題なのかもしれませんね。私も大人の一人として、難題に向き合っていきたいと思います。ぜひ頑張りましょう。未来のために……。

主な参考・引用文献

第2章
孔子『論語』金谷治訳注、岩波書店、1963年
ブーレーズ・パスカル『パンセ』前田陽一他訳、中央公論新社、1973年

第3章
田坂広志『人間を磨く』光文社、2016年

第4章
倉田剛『日常世界を哲学する』光文社、2019年
小川仁志『哲学で子どもの思考力が伸び、心が成長する』ジアース教育新社、2018年
杉山登志郎『子育てで一番大切なこと』講談社、2018年

第5章
セネカ『怒りについて』兼利琢也訳、岩波書店、2008年
ジャン＝ジャック・ルソー『エミール』今野一雄訳、岩波書店、1962年
バートランド・ラッセル『幸福論』安藤貞雄訳、岩波書店、1991年
フリードリッヒ・ニーチェ『悦ばしき知識』信太正三訳、筑摩書房、1993年
アラン『幸福論』神谷幹夫訳、岩波書店、1998年

第6章
小川仁志『公共性主義とは何か』教育評論社、2019年
デイヴィッド・ベネター『生まれてこない方が良かった』小島和男他訳、すずさわ書店、2017年
ウルリッヒ・ベック『〈私〉だけの神』鈴木直訳、岩波書店、2011年
ユルゲン・ハーバーマス他『公共圏に挑戦する宗教』箱田徹他訳、岩波書店、2014年
三木清『構想力の論理』岩波書店、1939年
マルティン・ハイデッガー『技術への問い』関口浩訳、平凡社、2013年
カンタン・メイヤスー『有限性の後で』千葉雅也他訳、人文書院、2016年

著　者

小川　仁志（おがわ　ひとし）

1970年、京都府生まれ。哲学者・山口大学国際総合科学部教授。京都大学法学部卒、名古屋市立大学大学院博士後期課程修了。博士（人間文化）。商社マン（伊藤忠商事）、フリーター、公務員（名古屋市役所）を経た異色の経歴。徳山工業高等専門学校准教授、米プリンストン大学客員研究員等を経て現職。大学で新しいグローバル教育を牽引する傍ら、「哲学カフェ」を主宰するなど、市民のための哲学を実践している。また、テレビをはじめ各種メディアにて哲学の普及にも努めている。NHK・Eテレ「世界の哲学者に人生相談」には指南役として出演。最近はビジネス向けの哲学研修も多く手がけている。専門は公共哲学。著書も多く、ベストセラーとなった『７日間で突然頭がよくなる本』や『哲学で子どもの思考力が伸び、心が成長する』、『人生１００年時代の覚悟の決め方』をはじめ、これまでに約１００冊を出版している。

大人が正しく生きるための哲学

～頭のバランス力の鍛え方～

令和2年2月27日　初版第１刷発行

著　　　者　小川　仁志

企画・編集　一般社団法人子どもの未来応援団

発　行　人　加藤　勝博

発　行　所　株式会社ジアース教育新社

〒101-0054　東京都千代田区神田錦町1-23　宗保第２ビル5F

TEL 03-5282-7183　FAX 03-5282-7892

表紙・本文デザイン・DTP　土屋図形株式会社

印刷・製本　株式会社創新社

Printed in Japan

ISBN978-4-86371-524-0　C0010

定価は表紙に表示してあります。

子どもの未来応援シリーズ

※肩書きは執筆当時

哲学で子どもの思考力が伸び、心が成長する

—親子で考える人生の疑問—

小川仁志

（山口大学国際総合科学部准教授）

定価　本体 1,400 円+税
ISBN978-4-86371-475-5
四六判／ 176 頁

「どうして親のいうことをきかなきゃいけないの?」「どうして勉強しなければならないの?」「どうして人はいじめをするの?」など、子どもたちの疑問について、親子で一緒に哲学しましょう。

人の子育て 動物の子育て

—家庭教育の大切さを動物の視点で考える—

土居利光

（日本パンダ保護協会会長・首都大学東京客員教授・前上野動物園園長）

定価　本体 1,400 円+税
ISBN978-4-86371-476-2
四六判／ 188 頁

動物の子育てを通して、人が生き残っていく上で家庭教育が重要なのはなぜか、一緒に見つめ直してみましょう。

我が子のいじめに親としてどうかかわるか

—親子で考える「共に生きる意味」—

阿形恒秀

（鳴門教育大学教職大学院教授・鳴門教育大学いじめ防止支援機構長）

定価　本体 1,400 円+税
ISBN978-4-86371-478-6
四六判／ 172 頁

「いじめ」問題を分かりやすく具体的に語るだけでなく、「いじめはあってはならない」という「建前論」を超えた大人の知恵を見出す道しるべとして、「共に生きる意味」を考えます。